AF617182

Joris-Karl Huysmans nació en París en 1848, de padre holandés (de una familia de pintores) y madre francesa, hija de un funcionario. De hecho, Huysmans (exceptuado el año que pasó en un batallón de guardias móviles en la guerra franco-prusiana de 1870) fue funcionario toda su vida, en el Ministerio del Interior, y poco antes de jubilarse fue condecorado con la Legión de Honor. Esta vida sin grandes incidencias contrasta con las decadentes fantasías aristocráticas que caracterizarán, llegado un punto, su obra como escritor. Antes, sin embargo, con su primera novela, *Marthe* (1876), sobre una prostituta, y las siguientes, *Las hermanas Vatard* (1879) y *A pique* (1882), fue seguidor de la escuela naturalista, que tenía a Zola como líder y modelo. Pero en 1884 publicó *A contrapelo,* que dejó estupefactos a Zola y a sus compañeros. Barbey d'Aurevilly terminaba su reseña del libro diciendo que a su autor solo le quedaba elegir «entre la boca de una pistola o los pies de la cruz». Un vaticinio que acabaría cumpliéndose: después de una novela más en el mismo estilo, *Allá lejos* (1891), donde recreaba la vida del asesino medieval Gilles de Rais, Huysmans empezó a pasar temporadas en monasterios benedictinos, se hizo oblato, peregrinó a Lourdes en la época de las apariciones de la Virgen, y sus últimas obras son todas una profesión de fe católica: *En camino* (1895), donde contaba su proceso de conversión, *La catedral* (1898), sobre la catedral de Chartreuse, y *L'Oblat* (1903). Murió en París en 1907.

A contrapelo

Joris-Karl Huysmans

A contrapelo

Traducción de
Andrés Ruiz Merino

ALBA

ALBA **CLÁSICA**
Colección dirigida por Luis Magrinyà

TÍTULO ORIGINAL: *À rebours*

Baixada de Sant Miquel, 1 08002 Barcelona
www.albaeditorial.es

DISEÑO: Pepe Moll de Alba

IMAGEN DE CUBIERTA:
Sin título
Odilon Redon (1840-1916)
Colección privada

REALIZACIÓN EDITORIAL: La Letra, s. l.

PRIMERA EDICIÓN: marzo de 2025
ISBN: 978-84-1178-144-2
DEPÓSITO LEGAL: B 2069-2025

IMPRESIÓN: Liberdúplex, s. l. u.
Ctra. BV 2241, km 7,4 Polígono Torrentfondo 08791 Sant Llorenç d'Hortons (Barcelona)

IMPRESO EN ESPAÑA

Índice

Nota al texto

A contrapelo (À rebours) se publicó por primera vez en 1884 (G. Charpentier et Cie, París). En una reedición de 1903, Huysmans añadió un Prefacio que aquí ofrecemos al final del volumen.

Tengo que regocijarme por encima del tiempo aunque al mundo le horrorice mi alegría y, grosero, no sepa lo que quiero decir.

Rusbrock, l'admirable[1]

[1] Título de la traducción que en 1869 publicó Ernest Hello de algunas de las obras del místico belga Jan van Ruusbroec (1293-1381). *[Esta nota, como las siguientes, es del traductor.]*

Nota preliminar

A juzgar por los escasos retratos conservados en el castillo de Lourps, la familia de los Floressas des Esseintes había estado, en tiempos pasados, compuesta por atléticos soldadotes y antipáticos jinetes. Apretados, estrechos en sus viejos marcos, que oprimían con sus anchos hombros, asustaban con su mirada fija, sus bigotes como yataganes y su pecho, cuyo arco abombado llenaba la enorme concha de las corazas.

Esos eran los ancestros; faltaban los retratos de sus descendientes; había un corte en la línea de rostros de la estirpe: una sola tela servía como eslabón, como un punto de sutura, entre el pasado y el presente. La llenaba una cabeza misteriosa y astuta de rasgos tensos y sin vida, de pómulos punteados con un toque de colorete, cabellos engominados y adornados con perlas, de cuello estirado y pintado, asomando por los pliegues de una rígida gola.

En esta imagen de uno de los más íntimos allegados del duque de Épernon y del marqués de O., aparecían ya los vicios de un temperamento empobrecido, el predominio de la linfa en la sangre.

La decadencia de esta antigua casa había seguido, sin duda, un curso regular; el afeminamiento de los varones había ido en aumento. Como para completar la obra del tiempo, los des Esseintes habían casado a sus hijos entre sí durante dos siglos agotando sus restos de vigor en uniones consanguíneas.

De esta familia, antaño tan numerosa que ocupaba casi por

entero las regiones de la Isla de Francia y de Brie, solo quedaba un descendiente, el duque Jean, un joven flaco de treinta años, anémico y nervioso, de mejillas hundidas, ojos de un azul frío como el acero, nariz respingona, y sin embargo recta, y manos secas y delicadas.

Por un singular fenómeno de atavismo, el último descendiente se parecía al antiguo ancestro, el afeminado, del que tenía la barba, de un rubio extraordinariamente pálido, en punta, y una expresión ambigua, a la vez cansada y astuta.

Su infancia había sido fúnebre. Amenazada por escrófulas, abrumada por fiebres obstinadas, logró, no obstante, con el aire fresco y los cuidados, superar los escollos de la pubertad. Entonces los nervios tomaron el control, sofocaron las languideces y abandonos de la clorosis y llevaron hasta su completo desarrollo los progresos del crecimiento.

La madre, una mujer alta, silenciosa y blanca, murió de agotamiento. Por su parte, el padre falleció de una enfermedad difusa; des Esseintes tenía entonces diecisiete años.

No guardaba de sus padres más que un recuerdo temeroso, sin agradecimiento, sin afecto. Apenas conocía a su padre, que solía residir en París; a su madre la recordaba inmóvil y postrada en una habitación oscura del castillo de Lourps. Raras veces el marido y la mujer estaban juntos, y, de esos días, recordaba encuentros descoloridos, el padre y la madre sentados frente a frente, delante de una mesa iluminada solo por una lámpara con una gran pantalla muy baja, ya que la duquesa no podía soportar sin ataques de nervios la luz y el ruido. En la penumbra, apenas intercambiaban dos palabras; luego el duque se iba, indiferente, y saltaba rápidamente al primer tren.

Con los jesuitas, a quienes encargaron la instrucción de Jean, su vida fue más benigna y suave. Los padres empezaron a mimar al niño, cuya inteligencia les sorprendía; sin embargo, a pesar de sus esfuerzos, no consiguieron que se entregara disciplinadamente a los estudios. Se interesaba por algunos trabajos, se volvía prematuramente diestro en latín, pero, en cambio, era completamente incapaz de explicar dos palabras de griego, no mostraba ninguna aptitud para los idiomas vivos y se reveló como un ser perfectamente obtuso tan pronto como intentaron enseñarle los primeros rudimentos de las ciencias.

Su familia se preocupaba poco por él; a veces su padre iba a visitarlo al internado: «Buenos días, buenas tardes, sé bueno y aplícate». Las vacaciones de verano las pasaba en el castillo de Lourps; su presencia no sacaba a la madre de sus ensoñaciones: apenas lo veía, o lo contemplaba, durante unos segundos, con una sonrisa casi dolorosa; luego volvía a sumergirse en la falsa noche en que los gruesos cortinajes de las ventanas sumían la habitación.

Los sirvientes eran aburridos y viejos. El niño, abandonado a sí mismo, husmeaba en los libros los días de lluvia; las tardes soleadas vagaba por el campo.

Su mayor alegría era bajar al vallejo, llegar a Jutigny, un pueblo situado al pie de las colinas, un montón de casitas coronadas por sombreros de paja salpicados de matas de siempreviva y ramilletes de musgo. Se tendía en el prado, a la sombra de los altos almiares, escuchando el ruido sordo de los molinos de agua, inhalando el fresco aliento del río Voulzie. A veces llegaba hasta las turberas, hasta la aldea verde y negra de Longueville, o trepaba por las pendientes barridas por el viento, desde donde la extensión de la vista era inmensa. Debajo de él, a un lado, tenía el valle del Sena, que huía hasta perderse de vista confundiéndose a lo lejos con el azul del cielo; al otro, muy arriba en el horizonte, las iglesias y la torre de Provins, que parecían temblar al sol, en el aire dorado y polvoriento.

Leía o soñaba, se empapaba de soledad hasta el anochecer; al meditar sobre los mismos pensamientos, su mente se concentraba y sus ideas, aún indecisas, maduraban. Pasado el verano, volvía a sus tutores más reflexivo y obstinado; estos cambios no les pasaron desapercibidos; perspicaces y astutos, acostumbrados por su oficio a sondear hasta lo más profundo de las almas, esa inteligencia despierta pero indócil no los engañó y comprendieron que este alumno nunca contribuiría a la gloria de la casa. Y, como su familia era rica y parecía desinteresada por su futuro, desistieron de inmediato de guiarlo hacia las lucrativas carreras de las grandes escuelas[2]. Aunque él discutía gustosamente con ellos sobre todas las doctrinas teológicas, que lo atraían por su sutileza y sus argumentos, ni siquiera pensaron en destinarlo a la Orden porque, a pesar de sus esfuerzos, su fe seguía siendo débil; en última instancia, por prudencia, por miedo a lo desconocido, lo dejaron dedicarse a los estudios que le gustaban y descuidar los demás, no queriendo alejar de sí este espíritu independiente con molestias propias de tutores laicos.

Así vivió, completamente feliz, sintiendo apenas el yugo paternal de los curas; continuó sus estudios latinos y franceses a su aire y, aunque la teología no figuraba en los programas de sus clases, completó el aprendizaje de esta ciencia, que había comenzado en el castillo de Lourps, en la biblioteca legada por Dom Prosper, hermano de un tatarabuelo y antiguo prior de los canónigos regulares de Saint-Ruf.

Sin embargo, llegó el momento de dejar la institución de los jesuitas; alcanzaba la mayoría de edad y se convertía en dueño de

---

[2] Establecimientos universitarios de gran prestigio a los que se accede mediante un concurso después del bachillerato o tras una preparación especial que puede durar dos años. En la actualidad, superados los estudios, se obtiene un título equivalente a un grado más un máster.

su fortuna; su primo y tutor, el conde de Montchevrel, le rindió cuentas. Las relaciones que tuvieron fueron de corta duración porque no podía haber nada en común entre estos dos hombres, uno viejo y el otro joven. Por curiosidad, por ocio, por cortesía, des Esseintes frecuentó esta familia y sufrió, varias veces, en su casa de la calle de la Chaise, abrumadoras veladas donde parientes, viejos como el mundo, discutían sobre genealogías nobles, retratos heráldicos, ceremonias anticuadas.

Más que las ricas señoras, los hombres, reunidos alrededor de una partida de *whist*' se revelaban como seres inmutables e ignorantes; allí, los descendientes de los antiguos valientes, las últimas ramas de las razas feudales, aparecían ante des Esseintes con aspecto de ancianos catarrosos y maniáticos, repitiendo discursos insípidos, frases centenarias. Lo mismo que en el tallo cortado de un helecho, solo una flor de lis parecía impresa en la pulpa reblandecida de esos viejos cráneos.

Una inefable compasión invadió al joven por aquellas momias sepultadas en sus hipogeos pasados de moda adornados con boiseries y rocallas, por aquellos tediosos adormilados que vivían con los ojos fijos constantemente en una vaga Canaán, en una Palestina imaginaria.

Después de algunas sesiones en este ambiente, decidió, a pesar de las invitaciones y los reproches, nunca más poner un pie allí.

Entonces comenzó a relacionarse con jóvenes de su edad y de su mundo.

Algunos, instruidos como él en internados religiosos, conservaban una marca especial de esa educación. Asistían a los oficios, comulgaban por Pascua, frecuentaban los círculos católicos y ocultaban, como si de un crimen se tratara, bajando la vista, los asaltos perpetrados contra las chicas. Eran, en su mayoría, unos creídos, ignorantes y sumisos, triunfadores necios, que habían agotado la paciencia de sus profesores, quienes, aun así, habían satisfecho su voluntad de depositar en la sociedad individuos obedientes y piadosos.

Otros, educados en colegios públicos o en liceos, eran menos hipócritas y más libres, pero ni más interesantes ni menos limitados. Eran juerguistas, amantes de las operetas y las carreras, jugaban al *lansquenet*[3] y al bacarrá, apostaban fortunas a los caballos, a las cartas y en todos los placeres propios de gente hueca. Después de un año de prueba, esa compañía, cuyos excesos le parecían bajos y fáciles, hechos sin discernimiento, sin pasión, sin una verdadera excitación de la sangre y los nervios, le produjo una inmensa fatiga.

Poco a poco los abandonó y fue acercándose a hombres de letras con los que, imaginaba, su pensamiento tendría más afinidades y se sentiría más cómodo. Fue otra decepción; le indignaban sus juicios resentidos y mezquinos, sus conversaciones banales como de puerta de iglesia, sus discusiones repugnantes, valorando una obra por el número de ediciones y el beneficio de la venta. Al mismo tiempo, conoció a los librepensadores, los doctrinarios de la burguesía, personas que reclamaban todas las libertades para sofocar las opiniones de los demás, puritanos ávidos y descarados, a los que consideraba, en cuanto a educación, inferiores al zapatero de la esquina.

Su desprecio por la humanidad se acrecentó; finalmente entendió que el mundo está mayormente compuesto por rufianes e imbéciles. Decididamente, no tenía ninguna esperanza de encontrar en el prójimo sus mismas aspiraciones y odios, ninguna esperanza de relacionarse con una inteligencia que se sumergiera, como la

[3] Juego de cartas introducido en Francia por los lansquenetes (infantes mercenarios alemanes) durante las guerras de religión y que estuvo de moda hasta finales del siglo XIX entre el pueblo llano.

suya, en una decrepitud estudiosa, ninguna esperanza de encontrar un espíritu agudo y sutil como el suyo, un escritor o un erudito.

Irritado, incómodo, indignado por la insignificancia de las ideas intercambiadas y recibidas, se estaba convirtiendo en uno de esos individuos de los que habló Nicole[4], a los que les duele todo; llegaba a arrancarse constantemente tiras de piel, a sufrir por tonterías patrióticas y sociales escritas cada mañana en los periódicos, a exagerar la importancia de los éxitos que un público todopoderoso reserva, siempre y a pesar de todo, a obras escritas sin ideas ni estilo.

Soñaba ya con un retiro tranquilo y refinado, con un desierto confortable, con un arca inmóvil y tibia en la que refugiarse, lejos del constante diluvio de estupidez humana.

Una sola pasión, la mujer, podría haberlo retenido en este desdén universal que lo oprimía, pero también esa pasión estaba consumida. Había probado los placeres de la carne con un apetito de hombre débil, enfermo, antojadizo, cuyo paladar se embota y hastía rápidamente. Cuando compadreaba con señoritos, hidalgos de gotera, había participado en esas interminables cenas donde las mujeres borrachas se desabrochaban durante el postre y golpeaban la mesa con la cabeza; también había recorrido los bastidores, sobado a actrices y cantantes, sufrido, además de la estupidez innata de las mujeres, la delirante vanidad de las actrices secundarias. Después había mantenido a mujeres ya famosas y contribuido a la fortuna de esas agencias que proporcionan, a cambio de dinero, placeres dudosos; finalmente, harto, cansado de ese lujo monótono, de esas caricias idénticas, se sumergió en los bajos fondos, esperando reavivar sus deseos con el contraste, pensando es-

[4] Pierre Nicole (1625-1659), teólogo jansenista contemporáneo de Pascal.

timular sus sentidos adormecidos por la emocionante suciedad de la miseria.

Intentase lo que intentara, un inmenso hastío lo oprimía. Se esforzó, recurrió a las peligrosas caricias de los virtuosos, pero entonces su salud decayó y su sistema nervioso se exacerbó; la nuca se le volvía sensible y la mano, firme cuando agarraba un objeto pesado, se volvía caprichosa y torcida cuando sostenía algo ligero como una copa.

Los médicos consultados lo asustaron. Había que cambiar de vida, renunciar a estos excesos que agotaban sus fuerzas. Estuvo tranquilo por un tiempo, pero pronto el cerebelo se excitó y llamó de nuevo a las armas. Al igual que esas jóvenes que, al llegar a la pubertad, se atiborran de alimentos deteriorados o abyectos, él llegó a soñar, a practicar amores excepcionales, alegrías desviadas. Aquello fue el fin: sus sentidos, como si estuvieran satisfechos de haberlo agotado todo, exhaustos de fatiga, se aletargaron: la impotencia se aproximaba.

Se encontró solo en su camino, sin ilusiones, espantosamente solo, implorando un final que la cobardía de su carne le impedía alcanzar.

Sus ideas de retirarse lejos del mundo, de ensimismarse en soledad, de amortiguar el estruendo implacable de la vida, como se hace con esos enfermos cuya calle se cubre de paja, se fortalecieron.

Por lo demás, era obligado decidirse; el recuento de su fortuna lo aterrorizó; en locuras, en desenfrenos, había devorado la mayor parte de su patrimonio, y el resto, invertido en tierras, solo rendía intereses irrisorios.

Decidió vender el castillo de Lourps, adonde no iba y donde no dejaba ningún recuerdo entrañable, ningún arrepentimiento; también liquidó los demás bienes, compró deuda del Estado, logrando así unos ingresos anuales de cincuenta mil libras, y reservó, además, una cantidad para pagar y amueblar la casita donde se proponía bañarse en una tranquilidad definitiva.

Exploró los alrededores de la capital y encontró una casita en venta en lo alto de Fontenay-aux-Roses, un lugar apartado, sin vecinos, cerca del fuerte: su sueño se había cumplido; en esta zona poco castigada por los parisinos, estaba seguro; la dificultad de las comunicaciones, mal aseguradas por una ridícula línea de ferrocarril situada al final del pueblo y por pequeños tranvías, que llegaban y funcionaban a su antojo, lo tranquilizaba. Al pensar en la nueva vida que planeaba, sentía una alegría tanto más viva cuanto que se veía retirado lo suficientemente lejos, en la orilla, para que la corriente de París no lo alcanzara y lo suficientemente cerca, sin embargo, para que esa cercanía a la capital lo confirmara en su soledad. Y, dado que basta con estar imposibilitado de ir a un lugar para que inmediatamente le entren a uno ganas de ir, tenía la esperanza, al no bloquearse completamente el camino, de no ser asediado por ningún rebrote social, por ningún arrepentimiento.

Metió a los albañiles en la casa que había adquirido; luego, repentinamente, un día, sin informar a nadie de sus planes, se deshizo de sus muebles antiguos, despidió a los criados y desapareció, sin dejar ninguna dirección al portero.

Capítulo I

Más de dos meses transcurrieron hasta que des Esseintes pudiera sumergirse en el silencioso descanso de su casa de Fontenay; compras de todo tipo lo obligaban a deambular todavía por París, a recorrer la ciudad de un extremo a otro.

Y, sin embargo, ¡a qué investigaciones no había recurrido! ¡A qué meditaciones no se había entregado, antes de confiar su alojamiento a los tapiceros!

Los colores le hablaban y era, ya desde hacía tiempo, experto en las sinceridades y evasivas de los tonos. Antaño, cuando recibía a mujeres en su casa, había preparado un tocador en el que, en medio de los pequeños muebles tallados en el pálido alcanforero de Japón, bajo una especie de tienda de satén rosa de la India, las carnes se coloreaban suavemente con las luces por él preparadas y tamizadas por la tela.

Esta habitación, en la que los espejos se hacían eco y se reenviaban hasta el infinito filas del mismo tocador rosa, había sido famosa entre las chicas que se complacían en sumergir su desnudez en ese baño encarnado y cálido, aromatizado por el olor a menta que desprendía la madera de los muebles.

Pero, dejando aparte los beneficios de ese aire maquillado que parecía transfundir una nueva sangre bajo las pieles marchitas y gastadas por el hábito de los cosméticos y el abuso de las noches, él disfrutaba en ese ambiente languideciente, de alegrías particulares, de placeres que llegaban a ser extremos y que se activaban, de algún modo, por los recuerdos de los males pasados, de los tedios difuntos.

Así, por odio, por desprecio a su infancia, había colgado en el techo de esa habitación una pequeña jaula de hilo de plata en la que un grillo cantaba como en las cenizas de las chimeneas del castillo de Lourps; cuando escuchaba ese cricrí tantas veces oído en las tardes forzadas y silenciosas en casa de su madre, se agolpaba ante él toda la desolación de una juventud sufrida y reprimida, y entonces, al estremecerse la mujer que acariciaba maquinalmente, y cuyas palabras o risas rompían su visión y lo devolvían bruscamente a la realidad del tocador, en el suelo, se levantaba un tumulto en su espíritu, una necesidad de vengar las tristezas soportadas, una rabia por ensuciar con vilezas los recuerdos familiares, un deseo furioso de jadear sobre cojines de carne, de agotar hasta sus últimas gotas las más vehementes y ácidas locuras carnales.

Otras veces, cuando el *spleen* lo oprimía, cuando en los lluviosos días de otoño la aversión por la calle, por su casa, por el cielo convertido en lodo amarillo, por las nubes como asfalto lo asaltaba, se refugiaba en este reducto, agitaba levemente la jaula y la observaba rebotar infinitamente en el juego de espejos, hasta que su vista, mareada, notaba que la jaula no se movía, sino que todo el tocador oscilaba y giraba llenando la casa de un vals rosa.

Y, en los tiempos en que consideraba necesario distinguirse, des Esseintes había amueblado la casa de forma fastuosamente extraña, dividiendo su salón en una serie de nichos tapizados de manera diversa, que podían conectar, por una sutil analogía, por un vago acuerdo de tonos alegres o sombríos, delicados o bárbaros, con el carácter de las obras latinas y francesas que amaba. Entonces se instalaba en el nicho cuya decoración le parecía que mejor correspondía a la esencia misma de la obra que su capricho del momento lo llevaba a leer.

Finalmente, había mandado preparar una sala principal, destinada a la recepción de los proveedores: entraban, se sentaban en unos bancos corridos de iglesia, y él subía a una cátedra magistral y predicaba el sermón sobre el dandismo, exhortando a sus zapateros y sastres a conformarse, de la manera más absoluta, a sus breves[5] en materia de corte, amenazándolos con una excomunión pecuniaria si no seguían al pie de la letra las instrucciones dadas en sus monitorios y bulas.

Se había ganado una reputación de excéntrico, que él perfeccionó vistiéndose con ropas de terciopelo blanco, chalecos de orfebrería, poniéndose, a modo de corbata, un ramo de violetas de Parma en la abertura del escote de la camisa, y dando a los hombres de letras veladas clamorosas, a imitación del siglo XVIII, en las que, para celebrar la más fútil de las desventuras, ofrecía una cena de duelo.

En el comedor, cubierto de negro, abierto al jardín de la casa súbitamente transformado, con sus caminos empolvados de carbón, su pequeño estanque ahora bordeado de basalto y lleno de tinta, y sus macizos compuestos exclusivamente de cipreses y pinos, la cena transcurría sobre un mantel negro, adornado con canastas de violetas y escabiosas, iluminada por pebeteros donde ardían llamas verdes y por candeleros donde flameaban cirios.

Mientras una orquesta oculta tocaba marchas fúnebres, los invitados eran atendidos por negras desnudas, con zapatillas y medias de tela plateada sembrada de lágrimas.

Se comían, en platos bordeados de negro, sopas de tortuga, panes de centeno ruso, aceitunas maduras de Turquía, caviar, huevas de mújol, morcillas ahumadas de Frankfurt, caza con salsas del color del jugo de regaliz y betún, purés de trufa, cremas

[5] Se refiere a los documentos papales más cortos y menos importantes que las bulas.

teñidas de chocolate, púdines, ciruelas y uvas pasas, moras y guindas; se bebían, en copas oscuras, vinos de la Limagne y del Rosellón, de los Tenedos, de Valdepeñas y Porto; y se saboreaban, después del café y el licor de nueces, *kvas, porter* y *stout*[6].

Como podía leerse en las tarjetas de invitación, parecidas a las de los entierros, se trataba de una cena para anunciar la muerte momentánea de la virilidad.

Pero estas extravagancias, de las que en otro tiempo se vanagloriaba, se habían consumido por sí mismas; ahora despreciaba esas ostentaciones pueriles y anticuadas, esas prendas anormales, esas extrañas decoraciones de viviendas. Pensaba, sencillamente, en hacer las cosas para su propio placer, y no para asombrar a los demás, en un hogar cómodo y a la vez elegantemente adornado, en dar forma a una vivienda original y tranquila, adecuada a las necesidades de su futura soledad.

Cuando un arquitecto preparó y dispuso la casa de Fontenay según sus deseos y planes, cuando solo quedaba decidir el orden del mobiliario y la decoración, pasó revista, nuevamente y durante mucho tiempo, a la serie de colores y matices.

Lo que quería eran colores cuya expresión se afirmara con las luces artificiales de las lámparas; le importaba poco que a la luz del día fueran insípidos o toscos porque apenas vivía más que de noche, pensando que se estaba mejor en casa, solo, y que la mente solo se excitaba y crepitaba de verdad en el contacto cercano con la sombra; también encontraba un placer especial en estar en una sala ampliamente iluminada, simplemente solo y de pie, rodeado de casas sumidas en la oscuridad y dormidas, una especie de placer en el que tal vez había un toque de vanidad, una satisfacción muy peculiar, conocida por los trabajadores que lle-

---

[6] Cervezas oscuras. La primera, rusa, y las otras dos, inglesas.

gan muy tarde a casa, cuando al correr las cortinas de las ventanas, se dan cuenta de que todo está apagado, todo está en silencio, todo está muerto.

Lentamente, seleccionó, uno a uno, los tonos.

Con los candelabros, el azul tira a verde falso; si es oscuro, como el cobalto y el índigo, se vuelve negro; si es claro, se vuelve gris; si es sincero y suave como el turquesa, se apaga y se enfría.

De modo que, a menos que se lo asocie, como secundario, con otro color, no podría ser la nota dominante de una sala.

Por otro lado, los grises ferrosos se vuelven más ceñudos y pesados; los grises perla pierden su azul y se transforman en un blanco sucio; los marrones se adormecen y se enfrían; en cuanto a los verdes oscuros, como el verde esmeralda y el verde mirto, actúan de la misma manera que los azules oscuros y se fusionan con los negros; quedaban, sí, los verdes más claros, como el verde pavo real, los cinabrios y las lacas, pero entonces la luz destierra su azul y solo retiene el amarillo, que, a su vez, no conserva más que un tono falso y da una impresión turbia.

No había que pensar en los salmones, los maíces y los rosas, tonos afeminados que estorbarían los pensamientos del aislamiento; tampoco, en fin, había que pensar en los violetas, que se difuminan; el rojo, al atardecer, sobrevive solo, y ¡qué rojo! Un rojo viscoso, la hez de un vino innoble; además, le parecía completamente inútil recurrir a este color, ya que, al ingerir cierta dosis de santonina, se ve violeta y entonces, sin tocarlas, cambia el tono de las cortinas.

Descartados estos colores, solo quedaban tres: el rojo, el naranja y el amarillo.

De los tres, prefería el naranja, confirmando así con su propio ejemplo la verdad de una teoría que consideraba de una exactitud casi matemática: a saber, que existe una armonía entre la naturaleza sensual de un individuo verdaderamente artista y el color que sus ojos ven de una manera más especial y más viva.

Despreciando al hombre común, cuya grosera retina no percibe ni la cadencia propia de cada uno de los colores ni el encanto misterioso de sus degradaciones y matices; despreciando también esos ojos burgueses, insensibles al esplendor y a la victoria de los tonos vibrantes y fuertes; quedándose solo con las personas de pupilas refinadas, entrenadas por la literatura y el arte, le parecía indudable que el ojo de quien, entre estos, sueña con un ideal, de quien reclama ilusiones y solicita velos en el ocaso, es generalmente acariciado por el azul y sus derivados, como el malva, el lila, el gris perla, siempre que se mantengan tiernos y no sobrepasen el límite donde pierden su carácter y se transforman en puro violeta, en franco gris.

Por el contrario, los impetuosos, los pletóricos, los bellos sanguíneos, los sólidos varones que desprecian los preparativos y los episodios, y se precipitan, perdiendo la cabeza de inmediato, esos, en su mayoría, disfrutan de las luces deslumbrantes de los amarillos y los rojos, de los golpes de címbalo de los bermellones y los amarillos de cromo, que los ciegan y los embriagan.

Finalmente, los ojos de los debilitados y nerviosos, cuyo apetito sensual busca platos condimentados con ahumados y salmueras, los ojos de las personas sobreexcitadas y consumidas aman, casi todos, ese color irritante y enfermizo, de esplendores ficticios, de fiebres ácidas: el naranja.

La elección de des Esseintes no podía, por tanto, prestarse a la menor duda; pero aún se presentaban dificultades insoslayables. Si el rojo y el amarillo se magnifican con las luces, no siempre ocurre lo mismo con su compuesto, el naranja, que se desborda y a menudo se transforma en un rojo capuchina, en un rojo fuego.

Estudió a la luz de las velas todos los matices y descubrió uno que le pareció que no se desequilibraría ni sustraería a sus pretensiones; terminados estos preliminares, trató de no poner, en la medida de lo posible, en su estudio al menos, las telas y alfombras de Oriente, que se han vuelto, ahora que los comerciantes enriquecidos las adquieren en las tiendas de novedades a precio rebajado, tan tediosas y comunes.

Finalmente, decidió encuadernar sus muros como si fueran libros, con tafilete de grano grueso aplastado y con piel del Cabo abrillantada por fuertes placas de acero sometidas a una potente prensa.

Una vez finalizados los revestimientos, hizo pintar las molduras y los altos zócalos de un índigo oscuro, de un índigo lacado, semejante al que utilizan los carroceros para los paneles de los coches; y el techo, un poco abovedado, también recubierto de tafilete, mostró, como una inmensa claraboya engastada en su piel de naranja, un círculo de firmamento en seda azul real, en cuyo centro se elevaban, con las alas desplegadas, serafines de plata bordados en otro tiempo por la cofradía de tejedores de Colonia para una antigua capa.

Una vez terminada la instalación, llegada la noche, todo se armonizó, se atemperó, se asentó: las *boiseries* fijaron su azul, sostenido y como calentado por los naranjas, que, a su vez, se siguieron sin adulterarse, sostenidos, y en cierto modo avivados, por el soplo apremiante de los azules.

En cuanto a los muebles, des Esseintes no tuvo que hacer muchas indagaciones, ya que el único lujo consistía en libros y flores raros; se limitó, dejando para más adelante los adornos y algunos dibujos o cuadros con que adornar las paredes desnudas, a poner, en la mayor parte de los muros, estantes y casilleros de biblioteca de madera de ébano, a esparcir por el suelo pieles de fieras y de zorro azul, a instalar, cerca de una maciza mesa de cambista del siglo XV, profundos sillones de orejas y un viejo atril de capilla, en hierro forjado, uno de esos antiguos atriles sobre los que el diácono colocaba antiguamente el antifonario y que ahora sostenía uno de los pesados infolios del *Glossarium mediae et infimae latinitatis* de du Cange.

Las ventanas, cuyos cristales, agrietados y azulados, salpicados de culos de botella con protuberancias punteadas de oro, interceptaban la vista del campo y solo dejaban entrar una luz fingida, se vistieron, a su vez, con cortinas cortadas de viejas estolas, cuyo oro oscurecido y apenas ahumado se extinguía en la trama de un rojo casi muerto.

Por último, en la chimenea, cuya vestidura fue también cortada de la suntuosa tela de una dalmática florentina, había, entre dos ostensorios en cobre dorado de estilo bizantino, provenientes de la antigua Abbaye-au-Bois de Bièvre, un maravilloso canon de iglesia, en tres compartimentos separados, trabajados como un encaje, que contenía, bajo el cristal de su marco, copiadas sobre un auténtico pergamino con admirables letras de misal y espléndidas iluminaciones, tres piezas de Baudelaire: a derecha e izquierda, los sonetos titulados *La muerte de los amantes* y *El enemigo;* y, en el medio, el poema en prosa titulado *En cualquier lugar, fuera del mundo.*

Capítulo II

Tras la venta de sus bienes, des Esseintes conservó los dos viejos sirvientes que habían cuidado de su madre y ejercido simultáneamente los oficios de administradores y conserjes del castillo de Lourps, que estuvo deshabitado y vacío hasta el momento de su adjudicación.

Se los llevó a Fontenay. Era una pareja acostumbrada a cuidar enfermos, con la regularidad de enfermeros que distribuyen cucharadas de medicina y tisanas hora tras hora, en un silencio rígido como el de monjes enclaustrados, sin comunicación con el exterior, en habitaciones con puertas y ventanas cerradas.

Al marido se le encargó limpiar las habitaciones y hacer las compras, y a la mujer, preparar la comida. Les cedió el primer piso de la casa, los obligó a llevar gruesas zapatillas de fieltro, colocó barreras acústicas a lo largo de las puertas bien engrasadas y tapizó los suelos con gruesos alfombrados para nunca oír el ruido de sus pasos por encima de su cabeza.

Acordó con ellos el significado de algunas campanillas, cómo interpretar los timbrazos según su número, brevedad y duración; precisó el lugar de su escritorio donde debían depositar, cada mes y durante su sueño, el libro de cuentas; se arregló de manera que no tuviera que hablarles o verlos a menudo.

Sin embargo, como la mujer debía de vez en cuando rodear la casa para llegar a un cobertizo donde se almacenaba la leña, y él quería que su sombra, al cruzar tras los cristales de las ventanas, no le molestara, mandó confeccionarle un traje de tela flamenca, con gorro blanco y un amplio capuchón negro, como aún usan las beguinas en Gante, que debía llevar puesto. La sombra de aquel tocado pasando frente a él, en el crepúsculo, le daba la sensación de un claustro, le recordaba esos silenciosos y devotos pueblos, esos barrios muertos, encerrados y sepultados en un rincón de una ciudad activa y viva.

También reguló las horas, inmutables, de las comidas, que eran además poco complicadas y muy breves, pues las debilidades de su estómago ya no le permitían tomar platos variados o pesados.

En invierno, a las cinco de la tarde, ya sin luz del día, tomaba un ligero refrigerio de dos huevos pasados por agua, tostadas y té; luego comía a eso de las once; bebía café, a veces té y vino, durante la noche y picoteaba un poco, hacia las cinco de la madrugada, antes de meterse en la cama.

Tomaba estas comidas, cuyo orden y cuyo menú, invariables, se fijaban cada inicio de temporada, en una mesa en medio de una pequeña sala, separada de su estudio por un corredor acolchado, herméticamente cerrado, que no dejaba filtrar ni olores ni ruidos en ninguna de las dos habitaciones que unía.

El comedor se parecía a la cabina de un barco, con su techo abovedado provisto de vigas semicirculares, los tabiques y suelo de madera de pino de Virginia, y su ventanilla abierta en el entablado, lo mismo que el ojo de buey de una tronera.

Igual que esas cajas de Japón que encajan unas dentro de otras, esta habitación estaba inserta en otra más grande, que era el verdadero comedor construido por el arquitecto.

Estaba esta estancia mayor perforada por dos ventanas, una, ahora invisible, oculta por un tabique que giraba a voluntad mediante un resorte. Se permitía así la renovación del aire, que, por esta abertura, podía circular alrededor de la cabina de pino y entrar en ella; la otra, visible desde la cabina, ya que estaba colocada justo en frente del ojo de buey practicado en el entablado, aunque condenada. Un gran acuario ocupaba todo el espacio entre el ojo de buey y esta ventana real abierta en la pared exterior. De modo que, la luz del día, para iluminar la cabina, atravesaba la ventana, cuyos cristales habían sido reemplazados por un espejo sin azogue[7], el agua y, por último, el cristal de la tronera.

En otoño, cuando el samovar humeaba sobre la mesa, mientras el sol terminaba de ponerse, el agua del acuario, vidriosa y turbia por la mañana, enrojecía y filtraba sobre las rubias paredes luces inflamadas de brasas.

A veces, por la tarde, des Esseintes, cuando por casualidad estaba despierto y en pie, manipulaba el juego de tubos y conductos que vaciaban el acuario y lo llenaban de nuevo con agua limpia, y vertía en él unas gotas de esencias coloreadas, dándole, a su gusto, los tonos verdes o salobres, opalinos o plateados que tienen los verdaderos ríos, según el color del cielo, la ardiente intensidad del sol y las amenazas más o menos inminentes de lluvia: en una palabra, según la estación y el estado de la atmósfera.

De modo que se imaginaba estar en la bodega de un bergantín y miraba con curiosidad los maravillosos peces mecánicos, montados como piezas de relojería, que pasaban frente al cristal de la tronera y se enganchaban en falsas hierbas; o bien, mientras aspiraba el olor del alquitrán, que se insuflaba en el comedor antes de que él entrara, examinaba grabados en color colgados en las paredes, representando, como en las agencias de los paquebotes y de los Lloyd, vapores en ruta hacia Valparaíso y La Plata, y carteles enmarcados en los que estaban inscritos los itinerarios de la línea

---

[7] Espejo conocido como espejo espía, o espejo unidireccional, que permite ver sin ser visto.

del Royal Mail Steam Packet, de las compañías López y Valéry, los fletes y las escalas de los servicios postales del Atlántico.

Luego, cuando se cansaba de consultar estas informaciones, descansaba la vista mirando los cronómetros y las brújulas, los sextantes y los compases, los prismáticos y los mapas, dispersos sobre una mesa sobre la que había un solo libro, encuadernado en piel de foca, *Las aventuras de Arthur Gordon Pym*[8], especialmente impreso para él, en papel vergé[9], puro hilo, seleccionado hoja por hoja, con la filigrana de una gaviota.

Podía ver, en fin, cañas de pescar, redes bronceadas con polvo de corteza de roble, rollos de velas rojizas, una pequeña ancla de corcho pintada de negro: todo amontonado cerca de la puerta que comunicaba con la cocina por un pasillo acolchado que absorbía, al igual que el pasillo que conectaba el comedor con el estudio, todos los olores y ruidos.

Se procuraba así, sin moverse, las sensaciones rápidas, casi instantáneas, de una navegación de altura. Y ese placer del desplazamiento que solo existe, en suma, a través del recuerdo y casi nunca en el presente, en el momento mismo en que se lleva a cabo, lo experimentaba plenamente, cómodamente, sin fatiga, sin preocupaciones, en esta cabina, cuyo desorden voluntario, cuya apariencia provisional y cuya instalación como temporal se correspondían bastante exactamente con sus estancias pasajeras en ella, con el tiempo limitado de sus comidas, y contrastaban, de manera absoluta, con su estudio, una habitación definitiva: ordenada, bien asentada, equipada para el firme mantenimiento de una vida hogareña.

Por otro lado, el movimiento le parecía inútil y pensaba que la

---

[8] Novela de aventuras marineras de Edgar Allan Poe, publicada en 1828.

[9] Papel que deja ver una trama de líneas horizontales y verticales de hilo metálico sobre la que se extiende la pasta de papel.

imaginación era capaz de suplir fácilmente la vulgar realidad de los hechos. En su opinión, era posible satisfacer los deseos considerados más difíciles de alcanzar en la vida normal, y esto con un ligero subterfugio, mediante una sofisticación aproximativa del objeto perseguido por esos mismos deseos. Así, es evidente hoy en día que cualquier gourmet se deleita en los restaurantes renombrados por la excelencia de su bodega bebiendo grandes vinos fabricados con vinazos de baja calidad tratados según el método del señor Pasteur. Ahora bien, estos vinos, los verdaderos y los falsos, tienen unos y otros el mismo aroma, el mismo color, el mismo buqué y, por lo tanto, el placer que se experimenta al degustar los brebajes alterados y falsos es absolutamente idéntico al que se disfrutaría al saborear esos vinos naturales y puros inencontrables, incluso a precio de oro.

Al trasladar esta engañosa desviación, esta hábil mentira, al mundo del intelecto, nadie duda de que se pueda disfrutar, tan fácilmente como en el mundo material, de deleites quiméricos que, en todos los aspectos, son parecidos a los verdaderos. No hay duda, por ejemplo, de que uno pueda entregarse a largas exploraciones desde la comodidad de su hogar, ayudando, si es necesario, al espíritu reacio o lento con la sugerente lectura de un libro que relate viajes lejanos; tampoco hay duda de que uno pueda, sin moverse de París, adquirir la impresión benéfica de un baño de mar: simplemente, sería suficiente ir al baño Vigier, situado en una barcaza en pleno Sena.

Allí, al salar el agua de su bañera y mezclarla, según la fórmula del Codex[10], con sulfato de sodio, hidroclorato de magnesio y cal; al sacar de una caja cuidadosamente cerrada con un tornillo un ovillo de cuerda o un trocito de cable, que se ha buscado a propósito en una de esas grandes cordelerías cuyos amplios almacenes y

[10] Recopilación de fórmulas farmacéuticas aprobadas por la facultad de Medicina.

sótanos desprenden olores de marea y puerto; al aspirar esos aromas que aún debe conservar esa cuerda o ese trozo de cable; al mirar una fotografía exacta del casino y al leer con fervor en la guía Joanne las páginas que describen las bellezas de la playa donde uno desea estar; al dejarse mecer finalmente por las olas que levanta en la bañera el oleaje de los *bateaux-mouches* cuando roza la barcaza de los baños; al escuchar finalmente las quejas del viento que se cuela bajo los arcos del Pont Royal y el ruido sordo de los ómnibus que ruedan a pocos pasos, por encima de uno, la ilusión del mar es indudable, imperiosa, segura.

Todo consiste en saber cómo hacerlo, saber concentrar el pensamiento en un solo punto, saber abstraerse lo suficiente para inducir la alucinación y sustituir la realidad misma por el sueño de la realidad.

Por lo demás, el artificio le parecía a des Esseintes la marca distintiva del genio del hombre.

Como él decía, ha pasado el tiempo de la naturaleza, que ha cansado definitivamente, por la desagradable uniformidad de sus paisajes y sus cielos, la paciente atención de los refinados. En el fondo, qué banalidad de especialista confinado en su campo, qué mezquindad de tendero que tiene un artículo con exclusión de todos los demás, qué monótono almacén de praderas y árboles, ¡qué agencia banal de montañas y mares!

No hay, además, una sola de sus reputadas invenciones tan sutil o tan grandiosa que el genio humano no pueda crear; ningún bosque de Fontainebleau, ningún claro de luna que no puedan ser reproducidos por decorados inundados de luces eléctricas; ninguna cascada que la hidráulica no imite de manera convincente; ninguna roca que el cartón piedra no pueda simular; ¡ninguna flor que no igualen los perfectos tafetanes y los delicados papeles pintados!

Sin duda, esta vieja chocha ha agotado ya la benevolente admiración de los verdaderos artistas, y ha llegado el momento de reemplazarla, en la medida de lo posible, por el artificio.

Y luego está su obra considerada como la más exquisita, la creación cuya belleza es, según todos, la más original y perfecta: la mujer. Si bien se mira, ¿no ha fabricado el hombre, por su cuenta, un ser animado y artificial que la iguala ampliamente, en términos de belleza plástica? ¿Existe, aquí en la tierra, un ser concebido en las alegrías de una fornicación y salido de los dolores de un útero cuyo modelo sea más deslumbrante y cuya figura sea más espléndida que la de esas dos locomotoras que hacen la línea del ferrocarril del norte?

Una, la Crampton, una adorable rubia, de voz aguda y gran estatura, aparentemente frágil, aprisionada en un brillante corsé de cobre, con la flexibilidad y el nervio de una gata, una rubia radiante y dorada, cuya extraordinaria gracia aterroriza cuando, tensando sus músculos de acero, activando la transpiración de sus cálidos flancos, pone en movimiento la inmensa roseta de su delicada rueda y se lanza, viva, en medio de los torrentes y las tempestades.

La otra, la Engerth, una monumental y oscura morena de gritos sordos y roncos, de lomos robustos, oprimidos por una coraza de hierro fundido; ¡una monstruosa bestia con una melena despeinada de humo negro y seis ruedas bajas y acopladas, cuya aplastante potencia hace temblar la tierra cuando arrastra cansinamente, lentamente, la pesada cola de sus mercancías!

Ciertamente no hay, entre las delicadas bellezas rubias y las majestuosas bellezas morenas, tipos similares de esbeltez delicada y fuerza aterradora; se puede decir sin temor a equivocarse: el hombre lo ha hecho, a su manera, tan bien como el Dios en el que cree.

Estas reflexiones acudían a des Esseintes cuando la brisa le traía el ligero silbido del tren infantil que juega a la peonza entre París y Sceaux. Su casa estaba situada a unos veinte minutos de la estación de Fontenay, pero la altura en la que se encontraba y su aislamiento no dejaban llegar hasta ella el alboroto de las inmundas multitudes que, inexorablemente, atrae, los domingos, la cercanía de una estación.

En cuanto al propio pueblo, apenas lo conocía. Una noche, desde su ventana, había contemplado el silencioso paisaje que se despliega bajando hasta el pie de una colina, en la cima de la cual se erigen las baterías del bosque de Verrières.

En la oscuridad, a derecha e izquierda, se destacaban masas confusas dominadas, a lo lejos, por otras baterías y otros fuertes, cuyos altos taludes parecían, a la luz de la luna, pintados de plata sobre un cielo oscuro.

Encogida por la sombra caída de las colinas, la llanura aparecía, en su centro, espolvoreada con harina de almidón y recubierta de una especie de crema protectora; en el aire cálido, que ventilaba las hierbas decoloradas y destilaba suaves perfumes de especias, los árboles, frotados con tiza por la luna, erizaban sus pálidos follajes y desdoblaban sus troncos, cuyas sombras rayaban de líneas negras el suelo de yeso sobre el que las piedrecillas brillaban como astillas de platos.

Debido a su maquillaje y a su aire artificial, el paisaje no disgustaba a des Esseintes; pero, desde aquella tarde ocupada en buscar una casa en el pueblecito de Fontenay, nunca había, durante el día, paseado por los caminos. El verdor del lugar no le inspiraba ningún interés, pues ni siquiera ofrecía ese encanto delicado y doliente que emana de las conmovedoras y enfermizas vegetaciones crecidas, con gran esfuerzo, en los escombros de los suburbios junto a las murallas. Además, había visto en el pueblo, ese día, burgueses panzudos, con patillas, y personas bien vestidas, con bigotes, portando, como santísimos sacramentos, cabezas de magistrados y militares; y, desde ese encuentro, su horror por la faz humana se había acrecentado aún más.

Durante los últimos meses de su estancia en París, mientras, desilusionado de todo, abatido por la hipocondría, aplastado por el *spleen,* había llegado a un nivel de sensibilidad nerviosa tal que la vista de un objeto o ser desagradable se grababa profundamente en su cerebro y necesitaba varios días para borrar, incluso ligeramente, su huella, la figura humana rozada en la calle había sido uno de sus tormentos más agudos.

Ciertamente, sufría con la vista de ciertas fisonomías, consideraba casi como insultos las expresiones paternales o ásperas de algunos rostros, sentía ganas de abofetear a ese señor que paseaba, bajando los párpados con aire docto; a ese otro que se balanceaba, sonriéndose frente a los espejos; a ese otro, finalmente, que parecía agitar un mundo de pensamientos mientras devoraba, con el ceño fruncido, los bocadillos y las noticias breves de un periódico.

Olfateaba allí una estupidez tan inveterada, un aborrecimiento tan profundo de sus ideas, un desprecio tal por la literatura, por el arte, por todo lo que él adoraba, implantados, anclados en esos estrechos cerebros de comerciantes, exclusivamente preocupados por engaños y dinero y solo accesibles por esa baja distracción de los espíritus mediocres –la política–, que volvía furioso a casa y se encerraba con sus libros.

En fin, odiaba con todas sus fuerzas a las nuevas generaciones, esas capas de horribles patanes que sienten la necesidad de hablar y reír en voz alta en los restaurantes y en los cafés, que te empujan sin pedir perdón en las aceras, que te lanzan, sin disculparse siquiera, sin saludar siquiera, las ruedas de un cochecito de niño entre las piernas.

Capítulo III

Una parte de los estantes adosados a las paredes de su estudio, naranja y azul, estaba cubierta exclusivamente por obras latinas, por esas que las inteligencias que han asimilado las deplorables lecciones repetidas hasta la saciedad en las Sorbonas denominan con un término genérico: la decadencia.

De hecho, la lengua latina, tal como se practicaba en esa época que los profesores todavía se empeñan en llamar «el gran siglo»[11], apenas lo estimulaba. Esa lengua limitada, con giros contados, casi invariables, con una sintaxis rígida, sin colores ni matices; esa lengua, pulida en todas sus costuras, desprovista de las expresiones rugosas pero a veces pintorescas de edades anteriores, podía, a lo sumo, enunciar los majestuosos clichés, los vagos lugares comunes repetidos por retóricos y poetas, pero desprendía tal falta de curiosidad, un tedio tan grande, que era necesario, en los estudios de lingüística, llegar al estilo francés del siglo de Luis XIV para encontrar una lengua tan deliberadamente debilitada, tan solemnemente agotadora y gris.

Entre otros, el dulce Virgilio, a quien los lingüistas de guardia apodan el cisne de Mantua, probablemente porque no nació en esa ciudad, le parecía, además de uno de los más terribles pedantes, uno de los más siniestros pelmazos que la antigüedad haya producido jamás: sus pastores lavados y acicalados, descargándose

[11] El siglo de Augusto (63 a. C.-14 d. C.).

de la cabeza, por turno, ollas llenas de versos sentenciosos y congelados; su Orfeo, al que compara con un ruiseñor lloroso; su Aristeo, que llora por las abejas; su Eneas, ese personaje indeciso y fluido que pasea, como una sombra chinesca, con gestos de madera, detrás de la transparencia mal ajustada y mal engrasada del poema, lo exasperaban. Habría aceptado las tediosas tonterías que esas marionetas intercambian entre sí, en voz baja; habría aceptado, incluso, los impúdicos préstamos tomados de Homero, de Teócrito, de Ennio, de Lucrecio, el simple robo, que nos reveló Macrobio, del segundo canto de la *Eneida,* casi copiado, palabra por palabra, de un poema de Pisandro, y, en fin, toda la inenarrable vacuidad de ese montón de cantos. Pero lo que más le horrorizaba era la factura de esos hexámetros, que sonaban a hojalata, a bidón vacío, que alargaban las palabras por litros, según la inmutable ordenanza de una prosodia pedante y seca. Era la textura de esos versos rasposos y encorsetados, en su atuendo oficial, en su poca reverencia a la gramática, de esos versos cortados, mecánicamente, por una imperturbable cesura, sellados al final, siempre de la misma manera, por el choque de un dáctilo contra un espondeo.

Tomada de la forja perfeccionada de Catulo, esta métrica invariable, sin fantasía, sin piedad, llena de palabras inútiles, de rellenos, de muletas con bucles idénticos y previsibles; esta miseria del epíteto homérico regresando sin cesar, para no designar nada, para no revelar nada, todo ese vocabulario indigente de tonos insonoros y planos lo torturaban.

Es justo añadir que, aunque su admiración por Virgilio era bastante moderada y su atracción por las claras deyecciones de Ovidio era de lo más discreta y apagada, su repugnancia por las gráciles y elefantiásicas gracias de Horacio, por el parloteo de ese desesperante patoso que coquetea con chanzas verdes y solapadas de viejo payaso, era ilimitada.

En prosa, la lengua verbosa, las metáforas redundantes, las digresiones oscuras del Garbanzo[12] no le deleitaban mucho más. La fatuidad de sus apóstrofes, sus oleadas de cantinelas patrióticas, el énfasis de sus discursos, la pesada masa de su estilo, carnoso, nutrido, pero convertido en grasa y carente de médula y hueso, las insoportables escorias de sus largos adverbios abriendo la frase, las inalterables fórmulas de sus adiposas oraciones mal conectadas por el hilo de las conjunciones y, en fin, su fatigante adicción a la tautología apenas lo seducían; y, no mucho más que Cicerón, César, conocido por su laconismo, tampoco le entusiasmaba; porque entonces se mostraba el exceso contrario, una aridez autoritaria, una esterilidad de nota al pie, un estreñimiento increíble y crónico.

En resumen, no encontraba sustento ni entre estos escritores ni entre aquellos que, sin embargo, deleitan a los falsos eruditos: Salustio, menos descolorido que los demás; Tito Livio, sentimental y pomposo; Séneca, inflado y pálido; Suetonio, linfático y larvado; Tácito, el de más nervio en su concisión afectada, el más áspero, el más musculoso de todos ellos. En poesía, Juvenal, a pesar de algunos versos duramente calzados, y Persio, a pesar de sus insinuaciones misteriosas, lo dejaban frío. Al despreciar a Tibulo y a Propercio, a Quintiliano y los Plinios, a Estacio, a Marcial de Bilbilis, al mismo Terencio y a Plauto, cuya jerga llena de neologismos, de palabras compuestas, de diminutivos podría gustarle, pero del que el bajo humor y la sal gorda le repugnaban, des Esseintes comenzaba a interesarse por la lengua latina solo con Lucano porque la suya era más amplia, más expresiva y menos melancólica; esa armadura trabajada, esos versos incrustados de esmaltes, pavimentados de joyería, le cautivaban, pero esa preocupación exclusiva por la forma, esas sonoridades de timbre,

[12] Cicerón. La palabra latina *cicero* significa «garbanzo».

esos brillos metálicos no le ocultaban completamente el vacío de pensamiento, la inflamación de esas ampollas que abultan la piel de su *Farsalia.*

El autor al que realmente amaba, y que le hacía apartar de sus lecturas las sonoras habilidades de Lucano, era Petronio. Este sí que era un observador perspicaz, un analista delicado, un maravilloso pintor: tranquilo, sin prejuicios, sin odio, describía la vida diaria de Roma, contaba, en los vivos y pequeños capítulos del *Satiricón,* las costumbres de su época.

A medida que anotaba los hechos, constatándolos de forma definitiva, desarrollaba la menuda existencia del pueblo, sus episodios, sus bestialidades, sus estados de celo.

Aquí, es el inspector de los albergues, que viene a preguntar el nombre de los viajeros recién llegados; allí, son los lupanares, con gente rondando alrededor de mujeres desnudas, plantadas entre letreros, mientras por las puertas mal cerradas de las habitaciones se vislumbran parejas retozando; un poco más allá, por entre las villas de un lujo insolente, de una demencia de riquezas y de fasto, como por las pobres posadas que se suceden en el libro, con sus catres deshechos, llenos de chinches, la sociedad de la época se agita: golfos sin escrúpulos, como Ascilto y Eumol, en busca de una buena ganga sacada a un extranjero; viejos íncubos con túnicas recogidas y mejillas pintadas con blanco de plomo y rojo acacia; jovencitos de dieciséis años, rollizos y rizados; mujeres presa de ataques de histeria; cazadores de herencias que ofrecen a sus hijos e hijas a las depravaciones de los testadores: todos corren a lo largo de las páginas, discuten en las calles, se acarician en los baños, se muelen a golpes como en una pantomima.

Y todo contado con un estilo de extraña frescura, de un colorido preciso, un estilo que bebe de todos los dialectos, tomando expresiones de todas las lenguas llegadas a Roma, desafiando todos los límites, todos los obstáculos del llamado gran siglo, haciendo que cada uno hable su propio idioma: los libertos, sin educación, el latín vulgar, el argot de la calle; los extranjeros, sus jergas bárbaras, mezcladas con africano, sirio y griego; los pedantes idiotas, como el Agamenón del libro, una retórica de palabras postizas. Estas gentes están dibujadas con un solo trazo, tendidas alrededor de una mesa, intercambiando insípidas charlas de borrachos, recitando máximas seniles, dichos necios, con la cara vuelta hacia el Trimalción[13] de turno, que se limpia los dientes, ofrece orinales a los invitados, los informa sobre la salud de sus entrañas y ventosea, animándolos a ponerse cómodos.

Esta novela realista, este fragmento cortado de la viva realidad romana, sin preocupaciones, por mucho que se diga, de reforma y de sátira, sin necesidad de un final cuidadosamente preparado y moralizante; esta historia, sin intriga, sin acción, que presenta las aventuras de las piezas cobradas por Sodoma, que analiza con tranquila sutileza las alegrías y dolores de estos amores y estas parejas, que pinta, en un lenguaje magníficamente trabajado, sin que el autor se muestre ni una sola vez, sin que haga ningún comentario, sin que apruebe o maldiga los actos y pensamientos de sus personajes, los vicios de una civilización en decadencia, de un imperio que se resquebraja, se apoderaba de des Esseintes, que sentía en el refinamiento del estilo, en la agudeza de la observación, en la firmeza del método, singulares aproximaciones, curiosas analogías con algunas novelas modernas francesas que él toleraba.

Seguro que lamentaba profundamente la pérdida del *Eustion* y la *Albutia,* esos dos trabajos de Petronio, mencionados por Plan-

---

[13] Personaje del *Satiricón,* liberto enriquecido, que da fiestas ostentosas y llenas de juerguistas en las que ofrece manjares exóticos.

ciades Fulgencio, que se han perdido para siempre; pero el bibliófilo que habitaba en él consolaba al erudito, manejando con manos devotas su magnífica edición del *Satiricón,* un *in* octavo[14] de 1585 con el nombre de J. Dousa, impreso en Leiden.

Partiendo de Petronio, su colección latina se adentraba en el siglo II de la era cristiana, omitiendo al declamador Frontón, con su lenguaje obsoleto, mal restaurado, mal barnizado, saltando por encima de las *Noches áticas* de Aulo Gelio, su discípulo y amigo, espíritu sagaz y curioso, pero escritor atrapado en un lodo pegajoso, y se detenía en Apuleyo, de quien conservaba la edición príncipe, un infolio impreso en 1469 en Roma.

Este africano le deleitaba; la lengua latina florecía plenamente en sus *Metamorfosis;* hacía fluir limos, aguas diversas, llegados de todas las provincias, y todos se mezclaban y confundían en un tono extraño, exótico, casi nuevo; los modismos y los nuevos detalles de la sociedad latina tomaban forma en neologismos creados para las necesidades de la conversación en un rincón romano de África; y luego, su jovialidad de hombre, obviamente gordo, y su exuberancia meridional le divertían. Aparecía como un compañero salaz y alegre al lado de los apologistas cristianos que vivían en el mismo siglo, el soporífero Minucio Félix, un pseudoclásico, que vertía en su *Octavio* emulsiones todavía más espesas que las de Cicerón, e incluso que las de Tertuliano, y que quizá conservaba, más que por la obra misma, por su edición de Aldo.

Aunque estaba bastante versado en teología, las disputas de los montanistas[15] contra la Iglesia católica y las polémicas contra la gnosis lo dejaban indiferente. Además, y a pesar de lo curioso del estilo de Tertuliano, un estilo conciso, lleno de ambigüedades,

---

[14] Libro cuyo tamaño es aproximadamente de 15 ×18 cm.

[15] Seguidores de Montano, que en el siglo II anunciaba el fin del mundo y recomendaba el ascetismo.

basado en participios, interrumpido por oposiciones, erizado de juegos de palabras y reflexiones hirientes, y salpicado de términos tomados de la ciencia jurídica y del lenguaje de los Padres de la Iglesia griega, ya no solía abrir la *Apologética* ni el *Tratado sobre la paciencia* y, a lo sumo, leía algunas páginas del *De cultu feminarum,* donde Tertuliano regaña a las mujeres por adornarse con joyas y tejidos preciosos, y les prohíbe el uso de cosméticos por intentar corregir y embellecer la naturaleza.

Estas ideas, diametralmente opuestas a las suyas, le hacían sonreír; luego, el papel desempeñado por Tertuliano en su obispado de Cartago le parecía sugerente para dulces ensoñaciones; más que sus obras, lo que en realidad le atraía era el hombre.

Había vivido Tertuliano tiempos turbulentos, sacudidos por terribles desórdenes, bajo Caracalla, bajo Macrino, bajo el sorprendente sumo sacerdote de Emesa, Heliogábalo[16]. Y, mientras el Imperio romano temblaba sobre sus cimientos y las locuras de Asia y las impurezas del paganismo fluían a raudales, él preparaba tranquilamente sus sermones, sus escritos dogmáticos, sus alegatos, sus homilías, y recomendaba, con el mayor aplomo, la abstinencia carnal, la frugalidad en las comidas, la sobriedad en el vestir. Al mismo tiempo, Heliogábalo, caminando sobre polvo de plata y arena de oro, la cabeza ceñida con una tiara, los vestidos bordados con piedras preciosas, se ocupaba, rodeado de sus eunucos, en trabajos de mujeres, se hacía llamar emperatriz y cambiaba de emperador cada noche, eligiéndolos preferentemente entre barberos, marmitones y cocheros de circo.

Estos contrastes le deleitaban; luego, el latín, que había alcanzado su madurez suprema con Petronio, empezaría a disolverse; la

[16] Emesa es el nombre antiguo de la actual Homs, ciudad de Siria, donde nació en el 204 Heliogábalo, sumo sacerdote en un templo dedicado a un dios local y después emperador de Roma.

literatura cristiana se hacía sitio, trayendo consigo ideas nuevas, palabras nuevas, construcciones nunca empleadas, verbos desconocidos, adjetivos de significados alambicados, palabras abstractas, raras hasta entonces en la lengua romana, que Tertuliano había sido uno de los primeros en adoptar.

Solo que esta delicuescencia, continuada tras la muerte de Tertuliano por su discípulo san Cipriano, por Arnobio, por el pastoso Lactancio, carecía de atractivo. Era el resultado, incompleto y lento, de una degradación; eran torpes retornos a las enfáticas expresiones ciceronianas, y encima sin ese aroma especial que en el siglo V, y sobre todo durante los siglos que seguirían, el olor del cristianismo daría a la lengua pagana, descompuesta como carne de caza, desmenuzándose al mismo tiempo que se desmoronaba la civilización del viejo mundo, al mismo tiempo que se derrumbaban, bajo el empuje de los bárbaros, los imperios corrompidos por la purulencia de los siglos.

Un único poeta cristiano, Comodiano de Gaza, representaba en su biblioteca el arte de mediados del siglo III. El *Carmen apologeticum,* escrito en 259, es una colección de instrucciones, retorcidas en acrósticos, en hexámetros populares cortados por el patrón del verso heroico, compuestos sin consideración a la cantidad y al hiato, y a menudo acompañados de rimas, de los que el latín eclesiástico proporcionaría más tarde numerosos ejemplos.

Estos versos tensos, oscuros, que olían a fiera salvaje, llenos de términos del lenguaje habitual, de palabras con sentidos primitivos alterados, le llamaban, le interesaban incluso más que el estilo ya maduro y verdoso de los historiadores Amiano Marcelino y Aurelio Víctor, del epistológrafo Símaco y del compilador y gramático Macrobio; incluso los prefería a esos verdaderos versos escandidos, a esa lengua moteada y espléndida que hablaban Claudiano, Rutilio y Ausonio.

Ellos eran entonces los maestros del arte; llenaban el Imperio moribundo con sus gritos; el cristiano Ausonio, con su *Centón nupcial* y su poema abundante y adornado, *El Mosela;* Rutilio, con sus himnos a la gloria de Roma, sus anatemas contra los judíos y contra los monjes, su viaje de Italia a la Galia, donde logra capturar ciertas impresiones de lo que ve, la vaguedad de los paisajes reflejados en el agua, el espejismo de los vapores, el vuelo de las brumas que rodean las montañas.

Luego está Claudiano, una especie de reencarnación de Lucano, que domina todo el siglo IV con el terrible clarín de sus versos; un poeta que forja un hexámetro brillante y sonoro, que percute, en medio de una lluvia de chispas, el epíteto con un golpe seco, alcanzando cierta grandeza, elevando su obra con un potente aliento. En el Imperio de Occidente, que se hunde cada vez más; en el desorden de los degüellos reiterados que lo rodean; en la amenaza perpetua de los bárbaros, que ahora se agolpan en masa a las puertas del Imperio, cuyas bisagras crujen, él revive la antigüedad, canta el rapto de Proserpina, aplica sus colores vibrantes, pasa con todas sus luces encendidas en la oscuridad que invade el mundo.

El paganismo revive en él, tocando su última fanfarria, elevando a su último gran poeta por encima del cristianismo, que a partir de ahora va a inundar completamente la lengua, y que va, ahora para siempre, a quedar como el único maestro del arte: con Paulino, el alumno de Ausonio; con el sacerdote español Juvencio, que parafrasea los Evangelios en verso; con Victorino, el autor de los *Macabeos;* con Sanctus Burdigalensis, quien, en una égloga imitando a Virgilio, hace lamentar a los pastores Egon y Buculus las enfermedades de sus rebaños; y con toda la serie de los santos: Hilario de Poitiers, defensor de la fe de Nicea, el Atanasio de Occidente, como se le llama; Ambrosio, autor de indigestas homilías, el aburrido Cicerón cristiano; Dámaso, el fabricante de epigramas lapidarios; Jerónimo, el traductor de la Vulgata, y su adversario Vigilantius de Comminges, que ataca el culto a los santos, el abuso de los milagros, los ayunos, y predica ya, con argumentos que se repetirán a través de los tiempos, contra los votos monásticos y el celibato de los sacerdotes.

Finalmente, en el siglo v, Agustín, obispo de Hipona. A este, des Esseintes lo conocía demasiado bien, pues era el escritor más renombrado de la Iglesia, el fundador de la ortodoxia cristiana, a quien los católicos consideran un oráculo, el supremo maestro. También había dejado de leerle, aunque hubiera cantado en sus *Confesiones* el asco de la tierra y su piadosa lamentación hubiera tratado de apaciguar, en su *Ciudad de Dios,* la terrible angustia del siglo con las sedantes promesas de destinos mejores. En el tiempo en que practicaba la teología, ya estaba cansado, saturado de sus predicaciones y de sus jeremiadas, de sus teorías sobre la predestinación y la gracia, de sus combates contra los cismas.

Prefería hojear la *Psychomachia* de Prudencio, el inventor del poema alegórico, quien, más tarde, hará furor en la Edad Media, y las obras de Sidonio Apolinar, cuya correspondencia, salpicada de ocurrencias, de pullas, de arcaísmos, de enigmas, lo tentaba. Releía de buena gana los panegíricos donde este obispo invoca, en apoyo de sus vacuas alabanzas, las deidades del paganismo, y, a pesar de todo, sentía debilidad por las afectaciones y los sobreentendidos de esas poesías fabricadas por un ingenioso mecánico que cuida su máquina, engrasa sus engranajes e inventa, de ser necesario, artefactos complejos e inútiles.

Después de Sidonio, frecuentó al panegirista Merobaudes; a Sedulio, autor de poemas rimados e himnos elementales, de los que la Iglesia se apropió algunas partes para sus oficios; a Mario Víctor, cuyo oscuro tratado sobre la *Perversidad de las costumbres* se ilumina, aquí y allá, con versos brillantes como el fósforo; a Paulino de Pela, el poeta del tembloroso *Eucharisticon;* a Orencio, el obispo de Auch, quien, en los dísticos de sus *Monitorios* lanza invectivas contra las licencias de las mujeres, a quienes acusa de que sus rostros pierden a los pueblos.

El interés que des Esseintes mostraba por la lengua latina no decaía ahora que, completamente podrida, colgaba perdiendo sus miembros, exudando pus, conservando apenas, en toda la corrupción de su cuerpo, algunas partes firmes que los cristianos desprendían para marinarlas en la salmuera de su nueva lengua.

Había llegado la segunda mitad del siglo v, la época espantosa en que abominables sacudidas turbaban la tierra. Los bárbaros saqueaban la Galia; Roma, paralizada, sometida al pillaje de los visigodos, sentía su vida helarse, veía sus dos extremos, Occidente y Oriente, debatirse en sangre, agotándose día tras día.

En medio de una disolución general, de asesinatos de césares que se sucedían uno tras otro, del ruido de las carnicerías que se extendían de un extremo a otro de Europa, un aterrador grito resonaba ahogando los clamores, cubriendo las voces. A orillas del Danubio, miles de hombres, montados en pequeños caballos, envueltos en casacas de piel de rata, unos tártaros horribles, con enormes cabezas, narices aplastadas, barbillas marcadas por cicatrices de cuchilladas, rostros de ictericia desprovistos de pelo, se abalanzan, a galope tendido, sobre el Imperio romano envolviéndolo en un torbellino.

Todo desapareció en el polvo de los galopes, en el humo de los incendios. El cielo se hizo tinieblas y los pueblos, consternados, temblaron, escuchando pasar, con un estruendo de truenos, la espantosa tromba. Hordas de hunos arrasaron Europa, se lanzaron sobre la Galia, se estrellaron en las llanuras de Châlons, donde Aecio las aplastó en una carga terrible. La llanura, empapada de sangre, onduló como un mar de púrpura, doscientos mil cadáveres obstruyeron el camino, rompieron el ímpetu de esa avalancha que, desviada, cayó, estallando como truenos, sobre Italia, donde las ciudades exterminadas ardieron como montones de heno.

El Imperio de Occidente se derrumbó bajo el impacto; la vida agonizante que se arrastraba en la imbecilidad y en la suciedad se extinguió; el fin del universo parecía cercano; las ciudades olvidadas por Atila fueron diezmadas por el hambre y por la peste; el latín pareció hundirse, a su vez, bajo las ruinas del mundo.

Pasaron los años; las lenguas bárbaras comenzaron a fijarse, a salir de sus crisálidas, a formar idiomas verdaderos. El latín, salvado del desastre por los claustros, se confinó en los conventos y las parroquias; aquí y allá, algunos poetas brillaban, lentos y fríos: el africano Dracontio con su *Hexameron,* Claudio Mamerto con sus poesías litúrgicas y Avito de Viena. Luego, biógrafos como Enodio, que narra los prodigios de san Epifanio, el diplomático perspicaz y venerado, el íntegro y vigilante pastor; como Eugipo, que nos ha relatado la incomparable vida de san Severino, ese ermitaño misterioso, ese humilde asceta, que se aparece, semejante a un ángel de misericordia, a los pueblos desolados, locos de sufrimiento y miedo. Y escritores como Veranio de Gevaudan, que preparó un pequeño tratado sobre la continencia, como Aureliano y Ferreolo, que compilaron cánones eclesiásticos; historiadores como Roterio de Agde, famoso por una historia, actualmente perdida, de los hunos.

Las obras de los siglos siguientes escaseaban en la biblioteca de des Esseintes. El siglo VI estaba, sin embargo, representado por Fortunato, el obispo de Poitiers, cuyos himnos y el *Vexilla regis,* tallados en la vieja carroña de la lengua latina, sazonada con los aromas de la Iglesia, le obsesionaban en ciertos días; por Boecio, el viejo Gregorio de Tours y Jornandes. Luego, en los siglos VII y VIII, como, además de la baja latinidad de los cronistas, de los Frédégaire y los Paulo Diácono, y de las poesías incluidas en el antifonario de Bangor, de las que a veces miraba el himno alfabético y monorrítmico, cantado en honor de san Comgill, la literatura se confinaba casi exclusivamente en biografías de santos, en la leyenda de san Columbano, escrita por el cenobita Jonás, y en la del bienaventurado Cuthbert, redactada por Beda el Venerable sobre las notas de un monje anónimo de Lindisfarne, él se limitaba a hojear, en sus momentos de aburrimiento, la obra de estos hagiógrafos y a releer algunos extractos de las vidas de santa Rustícula y de santa Radegunda, relatadas, una por Defensorio, sinodita de Ligugé, y la otra por la modesta e ingenua Baudonivia, religiosa de Poitiers.

Pero le atraían aún más las singulares obras de la literatura latina anglosajona: toda la serie de enigmas de Adelmo, de Tatwine, de Eusebio, todos ellos descendientes de Symphosius, y, sobre todo, los enigmas compuestos por san Bonifacio en estrofas acrósticas, cuya solución se encontraba en las letras iniciales de los versos.

El atractivo disminuía con el final de esos dos siglos; poco encantado, en suma, con la pesada masa de latinistas carolingios, como Alcuino y los Eginardo, se contentaba, como muestra de la lengua en el siglo IX, con las crónicas del monje de San Gall[17], de Freculfo y de Reginón, con el poema sobre el asedio de París, compuesto por Abbo el Encorvado, y con el *Hortulus,* poema didáctico del benedictino Walafrid Strabo, cuyo capítulo dedicado a la gloria de la calabaza, símbolo de la fecundidad, lo llenaba de alegría. También disfrutaba con el poema de Ermoldo el Negro

[17] Crónicas escritas por un monje, cuyo nombre se ignora, de la abadía suiza de San Gall, fundada en el siglo VII.

que celebra las hazañas de Luis el Piadoso, escrito en hexámetros regulares, en un estilo austero, casi sombrío, en un latín de hierro templado en aguas monásticas, con briznas, aquí y allá, de sentimiento en el duro metal; y con el *De viribus herbarum,* el poema de Macer Floridus, que lo deleitaba particularmente por sus recetas poéticas y las muy extrañas virtudes que atribuye a ciertas plantas, a ciertas flores: a la aristoloquia, por ejemplo, que, mezclada con carne de buey y colocada sobre el bajo vientre de una mujer embarazada, le hace dar a luz irremediablemente a un niño varón; a la borraja, que, esparcida en infusión en un comedor, alegra a los comensales; a la peonía, cuya raíz triturada cura para siempre del alto mal[18]; al hinojo, que, puesto sobre el pecho de una mujer, aclara sus aguas y estimula la ausencia de dolor de sus períodos.

Aparte de algunos volúmenes especiales sin clasificar, modernos o sin fecha; de ciertos trabajos de medicina y botánica relativos a la cábala; de ciertos tomos desparejados de la patrología de Migne, que contenían poesías cristianas inencontrables, y de la antología de los poetas latinos menores de Wernsdorff; aparte del Meursius[19], el manual de erotología clásica de Forberg, de la *Moechialogía* –tratado de los pecados contra los mandamientos sexto y noveno– y de las diaconales para uso de confesores, que desempolvaba en raras ocasiones, su biblioteca latina se detenía a comienzos del siglo x.

Cierto es que la originalidad y la complicada ingenuidad del lenguaje cristiano habían sucumbido. Los farragosos escritos de filósofos y escoliastas y la logomaquia de la Edad Media iban a adueñarse de las letras. El montón de hollín de las crónicas y de

[18] Nombre antiguo en Francia de la epilepsia.

[19] Clásico de la literatura erótica, escrito por Johannes Meursius (1579-1639), filólogo e historiador holandés.

los libros de historia y los lingotes de plomo de los cartularios se iban a amontonar, y la gracia balbuciente, la torpeza a veces exquisita de los monjes, que hacían un guiso piadoso con los restos poéticos de la antigüedad, habían muerto. Las fábricas de verbos con jugos depurados, de sustantivos con olor a incienso, de adjetivos raros, groseramente tallados en oro con el gusto bárbaro y encantador de las joyas góticas, se destruyeron. Las viejas ediciones, mimadas por des Esseintes, desaparecían; y, en un salto enorme de siglos, los libros se alineaban ahora en los estantes, suprimiendo la transición de las edades, llegando directamente a la lengua francesa del presente siglo.

Capítulo IV

Un día, a la caída de la tarde, se detuvo un coche frente a la casa de Fontenay. Como des Esseintes no recibía visitas y ni siquiera el cartero se aventuraba por esos parajes deshabitados, ya que no tenía que entregarle periódicos, revistas ni cartas, los sirvientes dudaron, preguntándose si debían abrir. Luego, al oír el carillón del timbre, que resonó contra la pared, observaron por la mirilla de la puerta y vieron a un señor cuyo pecho estaba cubierto, desde el cuello hasta el vientre, por un inmenso escudo de oro.

Avisaron a su amo, que estaba desayunando.

–Muy bien, háganlo pasar –dijo, pues recordaba haber dado, tiempo atrás, su dirección a un lapidario para la entrega de un pedido.

El hombre saludó, dejó en el comedor, sobre el suelo de pino de Virginia, su escudo, que, al oscilar, se levantó un poco, dejando ver una cabeza serpentina de tortuga, que, de repente asustada, se retiró bajo su caparazón.

Esta tortuga era una fantasía que se le había ocurrido a des Esseintes algún tiempo antes de su despedida de París. Observando un día en su casa una alfombra oriental, con reflejos, y siguiendo las luces plateadas que corrían sobre el tejido de lana, amarillo indio y violeta ciruela, pensó que estaría bien colocar sobre la alfombra algo que se moviera y cuyo tono oscuro agudizara la vivacidad de sus colores.

Poseído por esta idea y vagando al azar por las calles, había llegado al Palais-Royal y frente al escaparate de Chevet se había dado un golpe en la frente: había allí una enorme tortuga en un estanque. La compró y, una vez dejada sobre la alfombra, se sentó frente a ella y la contempló largo rato, parpadeando.

Decididamente, el color marrón oscuro y el tono siena crudo del caparazón ensuciaban los reflejos de la alfombra sin activarlos; las luces dominantes de la plata ahora apenas brillaban, arrastrándose con los tonos fríos del zinc rozado sobre los bordes de este caparazón duro y opaco.

Se mordió las uñas buscando cómo reconciliar estas desavenencias y evitar el claro divorcio entre estos tonos, y finalmente descubrió que su primera idea, la de querer avivar los fuegos del tejido con el movimiento de un objeto oscuro sobre él, era errónea en el fondo; la alfombra seguía siendo demasiado llamativa, demasiado exuberante, demasiado nueva. Los colores no se habían atenuado ni reducido suficientemente; se trataba de invertir la propuesta, de amortiguar los tonos, de apagarlos mediante el contraste con un objeto brillante que amortiguara todo a su alrededor, lanzando luz dorada sobre plata pálida. Así planteada, la cuestión era más fácil de resolver. Se decidió, en consecuencia, a dorar el caparazón de su tortuga.

Cuando el artesano encargado del trabajo volvió con el encargo, el animal fulguró como un sol, brilló sobre la alfombra, cuyos colores, vencidos, se doblegaron ante las irradiaciones de escudo visigodo de escamas imbricadas por un artista de un gusto extraño.

Des Esseintes quedó inicialmente encantado con este efecto; luego pensó que esta joya gigantesca solo estaba esbozada, que solo estaría completa después de que se le hubieran incrustado piedras preciosas.

Escogió, de una colección japonesa, un diseño que representaba un enjambre de flores que salían como cohetes de un tallo delgado;

lo llevó a un joyero, esbozó un dibujo en el que el ramillete quedaba encerrado en un marco ovalado y le hizo saber al lapidario, que quedó estupefacto, que las hojas y los pétalos de cada una de las flores serían ejecutados en piedras preciosas y montados en el propio caparazón del animal.

Se demoró en la elección de las piedras; el diamante se ha vuelto singularmente común desde que todos los comerciantes los llevan en el dedo meñique; las esmeraldas y los rubíes de Oriente están menos degradados, lanzan destellos deslumbrantes, pero recuerdan demasiado esos ojos verdes y rojos de algunos ómnibus que lucen faroles de estos dos colores en las sienes. En cuanto a los topacios, ya sean quemados o crudos, son piedras baratas, apreciadas por la pequeña burguesía, que guarda los joyeros en un armario con espejo. Por otro lado, aunque la Iglesia ha reservado un carácter sacerdotal a la amatista, a la vez untuoso y grave, esta piedra se ha prodigado también en las orejas sanguíneas y las manos tubulosas de las carniceras que quieren, por un precio módico, adornarse con joyas verdaderas y pesadas; solo el zafiro, entre estas piedras, ha mantenido fuegos no violados por la estupidez industrial y pecuniaria. Sus destellos, que centellean sobre unas aguas limpias y frías, han resguardado de toda contaminación su nobleza discreta y altiva. Desgraciadamente, a la luz artificial, sus llamas frescas dejan de crepitar; sus aguas azules se recogen en sí mismas, parecen dormirse para no despertar, chispeantes, hasta al amanecer.

Definitivamente, ninguna de estas pedrerías satisfacía a des Esseintes; además, eran demasiado civilizadas y demasiado conocidas. Deslizó entre sus dedos minerales más sorprendentes y extraños, y finalmente eligió una serie de piedras naturales y artificiales, cuya mezcla debía crear una armonía fascinante y desconcertante.

Así compuso su ramillete de flores: las hojas eran incrustaciones de piedras preciosas de un verde acentuado y preciso: crisoberilos verde espárrago, peridotos verde puerro, olivinos verde oliva; y salían de ramas de granate y uvarovita de un rojo violáceo, lanzando destellos de un brillo seco, al igual que esas micas de tártaro que brillan en el interior de las barricas.

Para las flores, aisladas del tallo, alejadas de la base del manojo, usó ceniza azul[20]; pero rechazó formalmente esa turquesa oriental que se pone en broches y anillos y que hace, con la banal perla y el odioso coral, las delicias del vulgo. Eligió exclusivamente turquesas de Occidente, piedras que no son, hablando con propiedad, más que un marfil fósil impregnado de sustancias cobrizas y cuyo azul celedón está congestionado, opaco, sulfuroso, como amarillento de bilis.

Hecho esto, ahora podía encastrar los pétalos de las flores desplegadas en medio del ramo, de las flores más cercanas, las más próximas al tronco, con minerales transparentes, de resplandores vítreos y mórbidos, de destellos febriles y agrios.

Las compuso únicamente de ojos de gato de Ceilán, cimofanas y zafirinas.

Estas tres piedras emitían destellos misteriosos y perversos, dolorosamente arrancados del fondo helado de sus aguas turbias.

El ojo de gato, de un gris verdoso, estriado de venas concéntricas que parecen moverse, desplazarse en cualquier momento, según las disposiciones de la luz.

La cimofana, con reflejos ondulantes azulados corriendo sobre el tinte lechoso que flota en su interior.

La zafirina, que enciende fuegos azulados de fósforo sobre un fondo de chocolate, castaño oscuro.

El lapidario tomaba nota de los lugares donde debían ser in-

[20] Polvo de azurita.

crustadas las piedras. «¿Y el borde del caparazón?», había preguntado a des Esseintes.

Había pensado inicialmente en algunos ópalos y algunos hidrófanos; pero estas piedras, interesantes por la vacilación de sus colores, por la duda de sus llamas, son demasiado indómitas e infieles; el ópalo tiene una sensibilidad completamente reumática; el juego de sus rayos se altera según la humedad, el calor o el frío; en cuanto al hidrófano, solo flamea en el agua, solo consiente en alumbrar su brasa gris cuando se moja.

Se decidió, en fin, por minerales cuyos reflejos se alternaban: el rojo caoba del jacinto de Compostela; el verde glauco de la aguamarina; el rosa vinagre de la espinela; el pizarra pálido del rubí de Sudermania. Sus débiles destellos bastaban para iluminar las tinieblas del caparazón y no empañaban el valor de la florescencia de piedras preciosas, que rodeaban con una delgada guirnalda de fuegos vagos.

Acurrucada en un rincón de su comedor, des Esseintes miraba ahora a la tortuga, que rutilaba en la penumbra.

Se sintió completamente feliz; sus ojos se embriagaban con esos resplandores de corolas en llamas sobre un fondo de oro; luego, contrariamente a su costumbre, tenía apetito y mojaba sus tostadas, untadas de una extraordinaria mantequilla, en té, una mezcla impecable de Si-a-Fayún, de Mo-you-tann, y de Khansky, tés amarillos, llevados de China a Rusia por caravanas excepcionales.

Bebía este perfume líquido en esas porcelanas de China llamadas cascarón de huevo, por lo diáfanas y ligeras y, del mismo modo que solo admitía estas adorables tazas, solo usaba, en cuanto a cubiertos, auténtica corladura, un poco desdorada, con la plata un poquito visible bajo la capa cansada de oro y dándole así un tinte de una suavidad antigua, completamente agotada, totalmente moribunda.

Después de tomar el último sorbo, volvió a su despacho y mandó llamar al sirviente para que trajera la tortuga, obstinada en no moverse. La nieve caía. A la luz de las lámparas, crecían hierbas de hielo detrás de los cristales azulados y la escarcha, parecida al azúcar fundido, brillaba en los culos de botella de los cuarterones etiquetados con oro.

Un silencio profundo envolvía la casita adormecida en la oscuridad.

Des Esseintes soñaba despierto; el brasero, cargado de leños, llenaba la habitación de efluvios ardientes; entreabrió la ventana. El cielo se alzaba ante él como una alta cortina de armiño, negro y salpicado de blanco.

Se levantó un viento glacial que aceleró el vuelo desenfrenado de la nieve e invirtió el orden de los colores.

La cortina heráldica del cielo dio media vuelta convirtiéndose en un verdadero armiño blanco, salpicado de negro, a su vez, por los puntos de noche dispersos entre los copos.

Cerró la ventana; ese brusco paso, sin transición, del calor sofocante al frío del pleno invierno lo había sobresaltado; se acurrucó cerca del fuego y se le ocurrió la idea de tomar un licor que lo calentara. Fue al comedor, donde, en una alacena practicada en una de las paredes, había una serie de pequeños toneles, dispuestos uno al lado del otro, sobre diminutos andamios de madera de sándalo y perforados con espitas de plata en la parte baja.

Él llamaba a este conjunto de barriles de licor su órgano de boca.

Podía conectar con una varilla todas las espitas, sometiéndolas así a un movimiento único, de modo que, una vez colocado el aparato, bastaba tocar un botón disimulado en la madera para que todas las canillas, giradas al mismo tiempo, llenaran de licor los imperceptibles vasos colocados bajo ellas.

El órgano estaba entonces abierto. Los registros etiquetados como «flauta», «cuerno», «voz celestial» estaban al alcance de la mano, listos para la maniobra. Des Esseintes bebía una gota de aquí, otra de allá, se deleitaba con sinfonías internas, logrando en la garganta sensaciones análogas a las que la música proporciona al oído.

Además, según él, cada licor correspondía, en sabor, al sonido de un instrumento. Por ejemplo, el curasao seco, al clarinete, cuyo canto es agridulce y aterciopelado; el cúmel, al oboe, cuyo timbre sonoro nasaliza; la menta y el anisado, a la flauta, a la vez dulce y picante, chillona y suave; mientras que, para completar la orquesta, el kirsch suena furiosamente como la trompeta; la ginebra y el whisky arrasan el paladar con sus estridentes estallidos de pistones y trombones; el aguardiente de orujo retumba con los ensordecedores estruendos de las tubas, mientras ruedan los golpes de trueno del címbalo y del tambor, golpeados con fuerza, en el velo del paladar, por los rakis de Quíos y los *retsinas*[21].

Creía también que las semejanzas podían extenderse, que bajo el velo del paladar podrían funcionar cuartetos de instrumentos de cuerda, con el violín representado por el aguardiente viejo, ahumado y fino, agudo y frágil; con la viola, simulada por el ron más robusto, más resonante, más sordo; con el *vespetro*[22] desgarrador y prolongado, melancólico y cariñoso como un violonchelo; con el contrabajo, corpulento, sólido y negro como un puro y viejo *bitter*. Incluso se podría, si se quisiera formar un quinteto, añadir un quinto instrumento, el arpa, que imitaba, por una verosímil analogía, el sabor vibrante, la nota argéntea, destacada y delgada del comino seco.

---

[21] Vino blanco o rosado resinado de Grecia, que se elabora desde hace al menos 2.000 años.

[22] Licor del norte de Italia que se obtiene macerando en aguardiente cilantro y angélica.

La analogía se prolongaba aún más: existían relaciones de tonos en la música de los licores; así, por no citar más que una nota, en el benedictine figuraba, por decirlo así, el tono menor de ese tono mayor de los alcoholes que las partituras comerciales designan bajo el signo de *chartreuse* verde.

Una vez aceptados estos principios, había logrado, gracias a eruditas experiencias, interpretar con la lengua silenciosas melodías, marchas fúnebres mudas de gran espectáculo, oír, en su boca, solos de menta, duetos de *vespetro* y ron.

Llegaba incluso a transferir a su mandíbula verdaderos fragmentos de música, siguiendo al compositor, paso a paso, reproduciendo su pensamiento, sus efectos, sus matices, con uniones o contrastes cercanos de licores, con mezclas aproximativas y sabias.

Otras veces, componía él mismo melodías, ejecutaba pastorales con el benévolo licor de grosella, que le hacía rodar en la garganta cantos netos de ruiseñor, con la suave crema de cacao, que murmuraba dulces cuadros campestres, tales como *Las romanzas de Estelle* y los *¡Ah! Te diré, mamá* de antaño[23].

Pero, esa noche, des Esseintes no tenía ningún deseo de escuchar el sabor de la música; se limitó a quitar una nota del teclado de su órgano, llevándose una copita llena de un auténtico whisky irlandés.

Se hundió en su sillón y sorbió lentamente ese jugo fermentado de avena y cebada; un aroma pronunciado de creosota le saturaba la boca.

Poco a poco, al beber, su pensamiento siguió la impresión ahora reavivada de su paladar, pisando los talones al sabor del whisky, que despertó, por una fatal exactitud de olores, recuerdos borrados desde hacía años.

---

[23] Sobre esta última romanza, anónima, de mediados del XVIII, compuso Mozart variaciones de piano.

Ese olor fénico, acre, le recordaba inevitablemente el idéntico aroma que había llenado su lengua en los tiempos en que los dentistas trabajaban en su encía.

Una vez lanzado sobre esta pista, su ensoñación, inicialmente dispersa entre todos los practicantes que había conocido, convergía y se fijaba en uno de ellos, cuyo excéntrico recuerdo se había grabado más particularmente en su memoria.

Hacía tres años que, en medio de la noche, atormentado por un abominable dolor de muelas, se apretaba la mejilla, tropezaba con los muebles y recorría su habitación como un loco.

Era una muela ya empastada; no había cura posible; solo los dentistas tenían la llave que podía aliviar su dolor. Esperaba, febril, la llegada del día, decidido a soportar las operaciones más atroces, con tal de terminar con su sufrimiento.

Mientras se sostenía la mandíbula, se preguntaba qué hacer. Los dentistas que lo trataban eran ricos comerciantes a los que uno no podía ver cuando quería; había que acordar con ellos la fecha y las horas de visita. Es inaceptable, no puedo esperar más, decía; decidió ir al primero que encontrara, correr a la consulta de un dentista popular, uno de esos hombres de mano firme que, aunque desconocen el arte, de todas formas inútil, de tratar caries y rellenar huecos, saben extraer, con una rapidez incomparable, los dientes más obstinados; en esos lugares, abren al amanecer y no se espera. Finalmente, dieron las siete. Salió volando de su casa y, recordando el nombre de un mecánico conocido que se hacía llamar dentista popular y vivía en la esquina de un muelle, se lanzó por las calles mordiendo su pañuelo, conteniendo las lágrimas.

Llegó a la casa, reconocible por un enorme cartel de madera negra donde el nombre de Gatonax se desplegaba en letras enormes de color calabaza. En dos pequeñas vitrinas se veían dientes de pasta cuidadosamente alineados en encías de cera rosa, unidos por resortes mecánicos de latón. Jadeó, el sudor en la frente; un horroroso trance le sobrevino, un escalofrío le recorrió la piel, un alivio le llegó, el dolor cesó, el diente se calló.

Se quedó, alelado, en la acera; finalmente se endureció frente a la angustia, subió por una escalera oscura los escalones de cuatro en cuatro hasta el tercer piso. Allí se encontró frente a una puerta donde una placa de esmalte repetía, inscrito con letras de un azul celeste, el nombre del negocio. Tiró de la campanilla; luego, aterrorizado por los grandes escupitajos rojos que veía en las paredes y la escalera, daba media vuelta, resuelto a sufrir de los dientes toda su vida, cuando un grito desgarrador atravesó las paredes, llenó la caja de la escalera, lo dejó clavado de horror en el sitio, al mismo tiempo que se abría una puerta y una anciana lo invitaba a entrar.

La vergüenza había vencido al miedo; fue introducido en un comedor; otra puerta se abrió de golpe, dando paso a un terrible granadero vestido con una levita y un pantalón negros, como de madera; des Esseintes lo siguió a otra habitación.

Sus sensaciones se volvieron confusas desde ese momento. Vagamente recordaba haberse desplomado delante de una ventana, en un sillón, haber balbuceado, mientras el mecánico ponía un dedo en su muela: «Está empastada; temo que no haya nada que hacer». El hombre había cortado inmediatamente las explicaciones, hundiéndole un dedo índice enorme en la boca; luego, mientras murmuraba bajo sus bigotes barnizados, en forma de colmillos, había cogido un instrumento de una mesa. Entonces comenzó la gran escena. Aferrado a los brazos del sillón, des Esseintes había sentido frío en la mejilla: luego sus ojos vieron treinta y seis estrellas y había empezado, sufriendo dolores inauditos, a patalear y a balar como un animal al que se asesina. Se había oído un crujido, la muela se rompía al salir; le había parecido que le arrancaban la cabeza, que le machacaban el cráneo; había perdido la razón, había gritado con todas sus fuerzas, se había defendido furiosamente contra el hombre, que se lanzaba de nuevo sobre él como si quisiera meterle el brazo hasta el fondo del vientre, se había echado bruscamente hacia atrás y, levantando el cuerpo, aún adherido a la mandíbula, lo había dejado caer brutalmente, de culo, en el sillón, mientras, de pie, llenando la ventana, el mecánico resoplaba, blandiendo al final de su tenaza un diente azul del que colgaba algo rojo. Aniquilado, des Esseintes había vomitado sangre en un cuenco y rechazado, con un gesto, a la anciana, que volvía ofreciéndole su muela, que se disponía a envolver en un periódico, y había huido, pagando dos francos, escupiendo, como todos, saliva ensangrentada en los escalones, y se había encontrado en la calle, alegre, rejuvenecido diez años, interesándose por las cosas más insignificantes.

–¡Uf! –dijo, entristecido por el asalto de esos recuerdos. Se levantó para romper el horrible encanto de aquella visión y, vuelto a la vida presente, se preocupó por la tortuga.

No se movía, la palpó, estaba muerta. Sin duda, acostumbrada a una existencia sedentaria, a una vida humilde pasada bajo su pobre caparazón, no había podido soportar el lujo deslumbrante que se le imponía, la brillante capa con que se la había vestido, las piedras preciosas con que se había pavimentado su espalda, como un baldaquino.

Capítulo V

Al tiempo que crecía su deseo de escapar de una época detestable de odiosas rusticidades, la necesidad de no ver más esos cuadros que representan la figura humana tratando de sobrevivir en París entre cuatro paredes, o errando en busca de dinero por las calles, se le había vuelto más imperiosa.

Tras perder el interés por la existencia contemporánea, había resuelto no introducir en su celda gérmenes de repugnancia o de remordimientos, así que prefería una pintura sutil, exquisita, bañada en un sueño antiguo, en una corrupción antigua, lejos de nuestras costumbres, lejos de nuestros días.

Quería, para deleite de su espíritu y alegría de sus ojos, algunas obras sugestivas que lo lanzaran a un mundo desconocido revelándole las huellas de nuevas conjeturas, sacudiéndole el sistema nervioso con histerias eruditas, con pesadillas complicadas, con visiones indolentes y atroces.

Había, entre todos, un artista cuyo talento lo transportaba en largos éxtasis: Gustave Moreau. Había adquirido sus dos obras maestras y, por las noches, soñaba frente a una de ellas, el cuadro de Salomé concebido así:

Un trono se alzaba, parecido al altar mayor de una catedral, bajo innumerables bóvedas que surgían de columnas, macizas como pilares románicos, esmaltadas de ladrillos policromos, engastadas de mosaicos, incrustadas de lapislázuli y sardónices, en un palacio semejante a una basílica, de una arquitectura tanto musulmana como bizantina.

En el centro del tabernáculo que coronaba el altar, precedido de escalones con forma de media pileta, estaba sentado el tetrarca Herodes, con una tiara en la cabeza, las piernas juntas y las manos sobre las rodillas.

Su rostro era amarillo, apergaminado, surcado de arrugas, deshecho por la edad; su larga barba flotaba como una nube blanca sobre las estrellas de pedrería que constelaban la túnica de brocado ceñida a su pecho.

Alrededor de esta estatua, inmóvil, fijada en una pose hierática de dios hindú, ardían perfumes emanando nubes de vapores que perforaban, como ojos fosforescentes de bestias, las refulgencias de las piedras incrustadas en las paredes del trono; luego el vapor subía, se desplegaba bajo los arcos, donde el humo azul se mezclaba con el polvo dorado de los grandes rayos de luz caídos de las cúpulas.

En el perverso olor de los perfumes, en la atmósfera sobrecalentada de esa iglesia, Salomé, con el brazo izquierdo extendido en un gesto de mando y el brazo derecho doblado, sosteniendo a la altura del rostro un gran loto, avanzaba lentamente, de puntillas, al compás de una guitarra cuyas cuerdas pulsaba una mujer acurrucada.

Con el rostro recogido, solemne, casi augusto, comenzaba la lujuriosa danza que debía despertar los sentidos adormecidos del viejo Herodes: los pechos ondulan y, al roce de los collares, que giran, sus puntas se yerguen; en la humedad de su piel los diamantes, adheridos, centellean; de sus brazaletes, cinturones, anillos saltan chispas; sobre su traje triunfal, bordado de perlas, decorado de plata, laminado de oro, la coraza de orfebrería, cuyas láminas son piedra que entra en combustión, traza serpenteos de fuego, se agita sobre la carne mate, sobre la piel rosa té, como enjambre de insectos espléndidos con élitros deslumbrantes, jaspeados de carmín, punteados de amarillo aurora, matizados de azul acero, rayados de verde pavo real.

Concentrada, con la mirada fija como una sonámbula, no ve ni al tetrarca, que tiembla, ni a su madre, la feroz Herodías, que la vigila, ni al hermafrodita o al eunuco que está, sable en mano, al pie del trono, una figura terrible, velada hasta las mejillas, y cuyo pecho castrado cuelga, como una calabaza, bajo una túnica abigarrada de naranja.

Este tipo de Salomé, tan obsesivo para los artistas y poetas, había perseguido a des Esseintes durante años. ¿Cuántas veces había leído en la vieja Biblia de Pierre Variquet, traducida por los doctores en teología de la Universidad de Lovaina, el Evangelio de san Mateo, que relata, con frases ingenuas y breves, la decapitación del Precursor? ¿Cuántas veces había soñado, entre esas líneas?:

«El día del banquete de cumpleaños de Herodes, la hija de Herodías bailó en el centro de la sala y agradó a Herodes.

»Quien le prometió, con juramento, darle todo lo que le pidiera.

»Ella entonces, inducida por su madre, dijo: Dame en una bandeja la cabeza de Juan el Bautista.

»Y el rey se entristeció, pero a causa del juramento y de los que estaban sentados a la mesa con él, ordenó que le fuera dada.

»Y mandó decapitar a Juan en la prisión.

»Y fue traída la cabeza en una bandeja y dada a la muchacha, y ella se la presentó a su madre».

Pero ni san Mateo, ni san Marcos, ni san Lucas, ni los otros evangelistas[24] se extendían sobre los delirantes encantos, sobre las

---

[24] El plural indica que se refiere a san Juan y a los autores de los evangelios apócrifos.

activas depravaciones de la bailarina. Se la veía desdibujada, se perdía, misteriosa y difuminada, en la bruma lejana de los siglos, inasible para los espíritus precisos y prosaicos, accesible solo para las mentes perturbadas, aguzadas, como visionarias por la neurosis, rebelde a los pintores de la carne, para Rubens, que la disfrazó de carnicera de Flandes, incomprensible para todos los escritores que nunca han podido plasmar la inquietante exaltación de la bailarina, la grandeza refinada de la asesina.

En la obra de Gustave Moreau, ajena a todos los datos del Nuevo Testamento, des Esseintes veía finalmente realizada esa Salomé sobrehumana y extraña que había soñado. Ya no era solamente la bailarina que arranca a un anciano, por una torsión voluptuosa de sus caderas, un grito de deseo y de lujuria; que quiebra la energía, anula la voluntad de un rey con sus remolinos de senos, sus contorsiones de vientre, sus temblores de muslos; se convertía, en cierto modo, en la deidad simbólica de la Lujuria indestructible, la diosa de la Histeria inmortal, la Belleza maldita elegida entre todas por la catalepsia que le endurece las carnes y le tensa los músculos, la Bestia monstruosa, indiferente, irresponsable, insensible, que envenena, al igual que la antigua Helena, todo lo que se le acerca, todo lo que toca.

Entendida así, pertenecía a las teogonías del extremo Oriente; ya no derivaba de las tradiciones bíblicas, no podía siquiera ser asimilada a la imagen viviente de Babilonia, la gran Ramera del Apocalipsis, ataviada como ella con joyas y púrpura, maquillada como ella; porque esta última no era empujada por un poder fatídico, por una fuerza suprema, a las atractivas abyecciones de la depravación.

El pintor parecía, por lo demás, haber querido afirmar su voluntad de quedar fuera de los siglos, de no precisar origen, país ni época, poniendo a su Salomé en medio de ese extraordinario palacio, de un estilo confuso y grandioso, vistiéndola con suntuosas y quiméricas ropas, coronándola con una incierta diadema en forma de torre fenicia, como la que lleva Salambó[25], y colocándole finalmente en la mano el cetro de Isis, la flor sagrada de Egipto y de la India, el gran loto.

Des Esseintes buscaba el sentido de este emblema. ¿Tenía ese significado fálico que le atribuyen los cultos primordiales de la India? ¿Anunciaba al viejo Herodes una ofrenda de virginidad, un intercambio de sangre, una herida impura solicitada, ofrecida con la condición expresa de un asesinato? O ¿representaba la alegoría de la fecundidad, el mito hindú de la vida, una existencia sostenida entre los dedos de una mujer, arrancada, mancillada por las manos palpitantes de un hombre invadido por la demencia, extraviado por una crisis de la carne?

Quizá, también, al armar a su enigmática diosa con el venerado loto, el pintor había pensado en la bailarina, en la mujer mortal, en el Vaso mancillado, causa de todos los pecados y de todos los crímenes; tal vez se había acordado de los ritos del antiguo Egipto, de las ceremonias sepulcrales del embalsamamiento, cuando los químicos y los sacerdotes extienden el cadáver de la muerta sobre un banco de jaspe, le extraen con agujas curvas el cerebro por las fosas nasales, las entrañas por la incisión practicada en su costado izquierdo, y luego, antes de dorarle las uñas y los dientes, antes de untarla con betunes y esencias, le insertan en el sexo, para purificarlo, los castos pétalos de la divina flor.

Sea como fuere, una fascinación irresistible emanaba de este lienzo. Pero la acuarela titulada *La aparición* quizá era aún más inquietante.

---

[25] Uno de los nombres de Astarté, diosa fenicia del amor, la guerra, el sexo y la caza, un equivalente a la Venus griega. Salambó es la forma en griego del fenicio Shalambaal, imagen de Baal, dios de las tormentas.

En ella, el palacio de Herodes se elevaba, como una Alhambra, sobre ligeras columnas irisadas de azulejos moriscos, selladas como por un hormigón de plata, como por un cemento de oro; de los rombos en lapislázuli partían arabescos, recorrían todo el largo de las cúpulas donde, sobre marqueterías de nácar, se deslizaban resplandores de arcoíris, destellos de prisma.

El asesinato estaba consumado; ahora el verdugo se mantenía impasible, las manos sobre el pomo de su larga espada, manchada de sangre.

La cabeza decapitada del santo se había elevado de la bandeja, colocada sobre las losas, y, lívida, la boca descolorida, abierta, el cuello carmesí, miraba goteando lágrimas. Un mosaico enmarcaba la figura de la que se escapaba una aureola que despedía rayos de luz bajo los pórticos, iluminando la espantosa ascensión de la cabeza, encendiendo el globo vidrioso de las pupilas, fijas, de algún modo crispadas, sobre la bailarina.

Con un gesto de espanto, Salomé rechaza la aterradora visión, que la clava, inmóvil, sobre los pies; sus ojos se dilatan, su mano aprieta, convulsa, su garganta.

Está casi desnuda; en el ardor de la danza, los velos se han deshecho, los brocados han caído; ya está vestida solo con orfebrería y minerales brillantes; un collarín le aprieta el talle como un corsé, y una espléndida joya, una maravillosa gema, destella en la ranura entre sus dos pechos; más abajo, un cinturón le rodea las caderas y oculta la parte superior de sus muslos, que golpea un gigantesco colgante por el que corre un río de carbunclos y esmeraldas; finalmente, en el cuerpo desnudo, entre el collarín y el cinturón, el vientre se curva, con un ombligo cuyo hueco parece un sello de ónix grabado, con tonos lechosos y matices de rosa de uña.

Bajo los ardientes rayos que escapan de la cabeza del Precursor, todas las facetas de las joyas se encienden; las piedras se animan, dibujan el cuerpo de la mujer con trazos incandescentes; le marcan el cuello, las piernas, los brazos, con puntos de fuego, rojos como brasas, violetas como chorros de gas, azules como llamas de alcohol, blancos como rayos de estrella.

La horrible cabeza resplandece, sangrando aún, formando coágulos de púrpura oscura en las puntas de la barba y el cabello. Visible solo para Salomé, no abraza con su mirada sombría a Herodías, que sueña con sus odios finalmente satisfechos, ni al tetrarca, que, inclinado un poco hacia delante, con las manos en las rodillas, jadea aún, enloquecido por esa desnudez de mujer impregnada de aromas salvajes, envuelta en bálsamos, ahumada en inciensos y mirra.

Al igual que el viejo rey, des Esseintes quedaba abrumado, aniquilado, mareado, ante esta bailarina, menos majestuosa, menos altiva, pero más perturbadora que la Salomé del cuadro al óleo.

En la insensible e implacable estatua, en el inocente y peligroso ídolo, se manifestaban el erotismo y el terror del ser humano; el gran loto había desaparecido, la diosa se había desvanecido; una pesadilla espantosa estrangulaba ahora a la danzante, extasiada por el torbellino de la danza; a la cortesana, petrificada, hipnotizada por el espanto.

Aquí, ella era realmente una muchacha; obedecía a su temperamento de mujer ardiente y cruel; se mostraba más refinada y más salvaje, más execrable y más exquisita; despertaba más enérgicamente los sentidos aletargados del hombre, hechizaba, dominaba con más seguridad sus voluntades, con su encanto de gran flor venérea, cultivada en lechos sacrílegos, criada en invernaderos impíos.

Como decía des Esseintes, nunca, en ninguna época, la acuarela había podido alcanzar tal brillo de colorido; nunca la pobreza de los colores químicos había hecho estallar sobre el papel destellos semejantes de piedras, resplandores como los de vitrales golpeados por rayos de sol, esplendores tan fabulosos, tan cegadores de tejidos y carnes.

Y, perdido en su contemplación, escrutaba los orígenes de este gran artista, de este pagano místico, de este iluminado que podía abstraerse del mundo lo suficiente para ver, en pleno París, resplandecer las crueles visiones, las apoteosis mágicas de otras épocas.

Des Esseintes apenas podía rastrear parentescos con otros pintores; aquí y allá, vagos recuerdos de Mantegna y de Jacopo de Barbarj; aquí y allá, confusas obsesiones de da Vinci y fiebres de colores a lo Delacroix; pero la influencia de estos maestros era, en realidad, imperceptible: la verdad era que Gustave Moreau no derivaba de nadie. Sin ascendencia verdadera, sin posibles descendientes, era único en el arte contemporáneo.

Moreau, remontándose a las fuentes etnográficas, a los orígenes de las mitologías cuyos sangrientos enigmas comparaba y desentrañaba; reuniendo, fundiendo en una sola, las leyendas surgidas del Extremo Oriente y metamorfoseadas por las creencias de otros pueblos, justificaba sus fusiones arquitectónicas, sus lujosas e inesperadas amalgamas de telas, sus hieráticas y siniestras alegorías, afiladas por las inquietas perspicacias de un nerviosismo totalmente moderno. Y se mostraba doliente, obsesionado por los símbolos de las perversiones y los amores sobrehumanos, de los estupros divinos consumados, sin renuncia y sin esperanza.

Había en sus obras desesperadas y eruditas un singular encanto, una magia que remueve hasta el fondo de las entrañas, como la de ciertos poemas de Baudelaire, y uno quedaba asombrado, pensativo, desconcertado, por ese arte que traspasaba los límites de la pintura, tomaba prestadas al arte de escribir las evocaciones más sutiles, al arte de Limoges los destellos más maravillosos, al arte del lapidario y del grabador las exquisiteces más delicadas.

Estas dos imágenes de Salomé, por las que la admiración de des Esseintes no tenía límites, vivían, ante sus ojos, colgadas en las paredes de su gabinete de trabajo, en paneles reservados entre los estantes de libros.

Pero no se limitaban a estos los cuadros que había comprado con el fin de adornar su soledad.

Aunque había sacrificado todo el primer y único piso de su casa, que no ocupaba personalmente, la planta baja había requerido por sí sola gran número de cuadros para vestir las paredes.

La planta baja estaba distribuida de la siguiente manera:

La mitad estaba ocupada de un extremo al otro por un cuarto de baño, comunicado con el dormitorio; del dormitorio se pasaba a la biblioteca y de la biblioteca al comedor, que ocupaba el otro extremo. Estas habitaciones se extendían en línea recta, perforadas con ventanas abiertas al valle de Aunay.

La otra mitad de la vivienda estaba formada por cuatro habitaciones exactamente iguales, en cuanto a disposición, a las anteriores. La cocina hacía ángulo y comunicaba con el comedor; un gran vestíbulo, que servía de entrada a la casa, con la biblioteca; una especie de tocador, con el dormitorio; finalmente, los excusados, formando un ángulo, con el cuarto de baño. Todas estas habitaciones recibían la luz del lado opuesto al valle de Aunay y miraban hacia la torre de Croy y Châtillon.

En cuanto a la escalera, estaba adosada por fuera a uno de los lados de la casa; los pasos de los sirvientes sacudiendo los escalones llegaban así menos netos, más sordos, hasta des Esseintes.

Había mandado tapizar de rojo vivo el tocador y colgar, enmarcadas en ébano, en todas las paredes de la casa, estampas de Jan Luyken, un viejo grabador de Holanda, casi desconocido en Francia.

Tenía, de este artista fantasioso y lúgubre, vehemente y feroz, la serie de sus *Persecuciones religiosas,* espantosas láminas con todos los suplicios que la locura de las religiones ha inventado: láminas donde aullaba el espectáculo de los sufrimientos humanos, cuerpos dorados en parrillas, cráneos desmochados con sables, trepanados con clavos, cortados con sierras, intestinos sacados del vientre y enrollados en bobinas, uñas arrancadas lentamente con tenazas, ojos reventados, párpados volteados con puntas, miembros dislocados, cuidadosamente rotos, huesos desnudos, minuciosamente raspados con cuchillas.

Estas obras llenas de imaginaciones abominables, que apestaban a quemado, que sudaban sangre, llenas de gritos de horror y anatemas, ponían la carne de gallina a des Esseintes, que quedaba anonadado en ese gabinete rojo.

Pero, además de los escalofríos que provocaban, además también del terrible talento de este hombre, de la extraordinaria vida que animaba a sus personajes, se descubrían en sus muchedumbres tumultuosas, en sus oleadas de gente captadas con una destreza que recordaba la de Callot, pero con una potencia que nunca tuvo ese divertido pintarrajeador, reconstrucciones curiosas de ambientes y épocas. La arquitectura, los trajes, las costumbres de la época de los macabeos, de Roma, de las persecuciones a los cristianos en España, del reinado de la inquisición en Francia, de la Edad Media y de la época de las matanzas de san Bartolomé y las dragonadas[26] estaban observadas con un meticuloso cuidado, anotadas con una ciencia extrema.

Estas estampas eran minas de información: se las podía contemplar sin cansancio durante horas; profundamente sugestivas en reflexiones, ayudaban a menudo a des Esseintes a matar los días rebeldes a los libros. La vida de Luyken era para él un atracti-

[26] Persecuciones de protestantes, durante el reinado de Luis XIV, a cargo de la caballería de asalto, formada por soldados llamados dragones.

vo más; por otro lado, explicaba la alucinación de su obra[27]. Calvinista ferviente, sectario endurecido, enloquecido por cánticos y oraciones, componía poesías religiosas que luego ilustraba, parafraseaba en verso los salmos, se abismaba en la lectura de la Biblia, de donde salía, extasiado, desquiciado, con el cerebro obsesionado por temas sangrientos, la boca torcida por las maldiciones de la Reforma, por sus cantos de terror y de cólera.

Además, despreciaba el mundo, abandonaba sus bienes a los pobres, pasaba con un trozo de pan; terminó embarcándose, con una vieja sirvienta, fanatizada por él; iba sin rumbo, donde atracaba el barco, predicando por todas partes el Evangelio, intentando no comer, volviéndose casi loco, casi salvaje.

En la habitación vecina, más grande, en el vestíbulo vestido de paneles de cedro, color de caja de puros, se exponían otras grabados, otros dibujos extraños.

Uno de ellos, *La comedia de la muerte,* de Bresdin, donde se muestra un inverosímil paisaje, erizado de árboles, matorrales, matojos, que toman formas de demonios y fantasmas, cubierto de pájaros con cabezas de rata y colas de vegetal, y una tierra sembrada de vértebras, costillas, cráneos, en la que se erigen sauces, nudosos y agrietados, coronados de esqueletos agitando, los brazos en alto, un ramo, y entonando un canto de victoria. En ese decorado, mientras un Cristo huye en un cielo moteado, un ermitaño reflexiona con la cabeza entre las manos en el fondo de una cueva y un miserable muere agotado de privaciones, extenuado de hambre, tendido de espaldas, con los pies en un charco.

Otro, *El buen samaritano,* del mismo artista, un inmenso dibujo a plumilla, impreso en piedra: un extravagante desorden de

[27] Luyken había publicado, de joven, una colección de poemas eróticos y se había casado con una actriz, antes de convertirse.

palmeras, serbales, robles, que crecen juntos, sin respetar las estaciones y los climas, una selva virgen exuberante, llena de monos, búhos, lechuzas, salpicada de viejos tocones tan deformes como raíces de mandrágora; un bosque mágico, con un claro en el centro que deja entrever, a lo lejos, detrás de un camello y el grupo del samaritano y el herido, un río, y más allá una ciudad fantástica escalando el horizonte, ascendiendo hacia un cielo extraño, lleno de aves, surcado de ondas, como inflado de fardos de nubes.

Se hubiera dicho que el dibujo era de un artista en sus comienzos, un vago Alberto Durero, compuesto por un cerebro nublado por el opio; pero, aunque apreciaba la delicadeza de los detalles y la imponente apariencia de la obra, des Esseintes se detenía más particularmente ante los otros cuadros que adornaban la habitación.

Estaban firmados por Odilon Redon.

Tenían en sus marcos de peral sin tratar, adornados con ribetes de oro, apariciones inconcebibles: una cabeza de estilo merovingio, puesta sobre una copa; un hombre barbudo, que parecía a la vez un bonzo y un orador callejero, tocando con el dedo una bola de cañón colosal; una espantosa araña que alojaba en medio de su cuerpo una cara humana; luego, unos carboncillos que iban aún más lejos en el horror de un sueño atormentado por la congestión. Aquí, un enorme dado donde parpadeaba un ojo triste; allá, paisajes secos, áridos, llanuras calcinadas, movimientos del suelo, erupciones volcánicas alcanzando nubes revueltas, cielos estancados y lívidos; a veces, incluso, los temas parecían tomados de la pesadilla de la ciencia, remontándose a tiempos prehistóricos; una flora monstruosa florecía sobre las rocas; por todas partes, bloques erráticos, barros glaciares, personajes cuyo tipo simiesco, de gruesas mandíbulas, arcos superciliares prominentes, frente huidiza, parte superior aplanada del cráneo recordaban la cabeza ancestral, la cabeza del primer período cuaternario, del hombre aún frugívoro y sin habla, contemporáneo del mamut, del rinoceronte de narices divididas y del gran oso. Estos dibujos estaban fuera de todo; en su mayoría, saltaban por encima de los límites de la pintura, innovaban lo fantástico de una forma muy especial, una fantasía de enfermedad y delirio.

Y, de hecho, este tipo de rostros, devorados por ojos inmensos, por ojos locos; estos cuerpos crecidos desmesuradamente o deformados como a través de una botella, evocaban en des Esseintes recuerdos de fiebre tifoidea, recuerdos que le quedaban de noches ardientes, de horribles visiones de su infancia.

Presa de indefinible malestar frente a estos dibujos, lo mismo que ante algunos *Disparates* de Goya que le recordaban; lo mismo que al dejar una lectura de Edgar Poe, cuyos espejismos de alucinación y efectos de miedo Odilon Redon parecía haber transpuesto en un arte diferente, se frotaba los ojos y contemplaba una figura radiante que, en medio de estas agitadas láminas, se levantaba serena y tranquila, una figura de la Melancolía, sentada frente al disco de un sol, sobre unas rocas, en una postura abrumada y triste.

Como por encantamiento, las tinieblas se disipaban. Una tristeza encantadora, una desolación en cierto modo lánguida fluían en sus pensamientos, y meditaba largamente frente a esa obra que, con sus puntos de *gouache* esparcidos en los trazos de lápiz graso, aportaba una claridad de verde agua y oro pálido, entre la oscuridad ininterrumpida de esos carboncillos y esas estampas.

Además de esta serie de obras de Redon, que adornaban casi todos los paneles del vestíbulo, había colgado en su dormitorio un boceto desordenado de Théocopuli[28], un Cristo de tonos singula-

[28] Doménikos Theotokópoulos, conocido como el Greco.

res, con un dibujo exagerado, de un color feroz, de una energía trastornada, un cuadro de la segunda etapa de este pintor, cuando estaba obsesionado con no parecerse a Tiziano.

Esta pintura siniestra, con tonos de cera y verde cadáver, respondía para des Esseintes a cierto orden de ideas sobre el mobiliario.

Según él, solo había dos maneras de organizar un dormitorio: o bien convertirlo en una alcoba excitante, un lugar de deleite nocturno; o bien disponer un lugar de soledad y descanso, un retiro de pensamientos, una especie de oratorio.

En el primer caso, a los delicados, especialmente a las personas agotadas por las excitaciones cerebrales, se les imponía el estilo Luis XV. De hecho, solo el siglo XVIII supo envolver a la mujer en una atmósfera viciosa, contorneando los muebles según la forma de sus encantos, imitando las contracciones de sus placeres y las volutas de sus espasmos con las ondulaciones, los retorcimientos de la madera y el cobre y especiando la languidez azucarada de las rubias con una decoración viva y clara, y atenuando el sabor salado de las morenas con tapices de tonos dulces, acuosos, casi insípidos.

Este tipo de dormitorio lo había diseñado tiempo atrás en su alojamiento de París, con la gran cama blanca lacada, que es un estímulo más, una depravación de viejo apasionado, que relincha ante la falsa castidad, ante el hipócrita pudor de las jovencitas de Greuze, ante la artificial candidez de una cama traviesa, que olía a niña y a joven doncella.

En el otro caso –y ahora que quería romper con los irritantes recuerdos de su vida pasada, este era el único posible– había que diseñar una habitación en una celda monástica, pero entonces se acumulaban las dificultades porque se negaba a aceptar para sí mismo la austera fealdad de los asilos de penitencia y oración.

A fuerza de volver y volver sobre la cuestión desde todos sus ángulos, concluyó que el objetivo que debía alcanzar podía resumirse en esto: arreglar con objetos alegres una cosa triste o, más bien, al tiempo que conservaba su fealdad, imprimir al conjunto de la habitación, así tratada, una especie de elegancia y distinción; invertir la óptica del teatro, donde los viles harapos imitan los lujosos y caros tejidos; obtener el efecto completamente opuesto, usando telas magníficas para dar la impresión de harapos y disponer, en una palabra, una celda cartuja que pareciera verdadera y que, por supuesto, no lo fuera.

Procedió de esta manera: para imitar el encalado ocre y el amarillo administrativo y clerical, mandó forrar los muros con seda color azafrán; para reproducir el zócalo color chocolate, habitual en este tipo de habitáculos, cubrió las paredes medianeras con paneles de madera púrpura oscuro de amaranto. El efecto era seductor y podía recordar, aunque de lejos, la desagradable rigidez del modelo que seguía en la transformación; el techo fue, a su vez, tapizado de blanco crudo, simulando el yeso, sin tener sin embargo sus destellos chillones; en cuanto al frío pavimento de la celda, logró copiarlo bastante bien, gracias a una alfombra cuyo diseño representaba baldosas rojas, con zonas blanquecinas en la lana, para simular el desgaste de las sandalias y el roce de las botas.

Amuebló el dormitorio con una pequeña cama de hierro, una falsa cama de cenobita, fabricada con antiguas piezas de hierro forjado y pulido, realzadas, en la cabecera y a los pies, con ornamentaciones tupidas de tulipanes florecidos entrelazados con sarmientos, tomadas de la barandilla de la magnífica escalera de una antigua villa.

A modo de mesilla de noche, puso un antiguo reclinatorio, cuyo interior podía contener un jarrón y cuyo exterior sostenía un misal; colocó contra la pared, frente a la cama, un banco de obra, coronado por un gran dosel calado, adornado con misericordias esculpidas en madera maciza, y dotó a sus candelabros de iglesia de velas de cera auténtica, que compraba en una casa especial reservada para las necesidades del culto, ya que profesaba una sincera aversión por el petróleo, las pizarras, el gas, las velas de estearina, y por toda la iluminación moderna, tan visible y tan brutal.

En su cama, por la mañana, con la cabeza en la almohada, antes de dormir, miraba su Greco, cuya atroz coloración moderaba un poco la sonrisa de la tela amarilla y la devolvía a un tono más grave, y se imaginaba entonces fácilmente que vivía a cien leguas de París, lejos del mundo, en el fondo de un claustro.

Y, en suma, la ilusión era fácil, ya que llevaba una vida casi como la de un religioso. Tenía las ventajas del claustro y evitaba sus inconvenientes: la disciplina militar, la falta de cuidados, la suciedad, la promiscuidad, el tedio monótono. De la misma forma que había hecho de su celda una habitación confortable y cálida, había logrado que su vida normal fuera dulce, rodeada de bienestar, ocupada y libre.

Igual que un ermitaño, estaba maduro para el aislamiento, agotado de la vida, sin esperar nada más de ella; también, igual que un monje, estaba abrumado por un inmenso cansancio, por la necesidad de recogimiento, por un deseo de no tener nada en común con los profanos, que eran, para él, los utilitarios y los imbéciles.

En resumen, aunque no sentía ninguna llamada por el estado de gracia, tenía una auténtica simpatía por esas personas encerradas en monasterios, perseguidas por una sociedad odiosa, que no les perdona ni el justo desprecio que sienten por ella ni la firme voluntad de redimir, de expiar, mediante un largo silencio, la desvergüenza, siempre creciente, de sus conversaciones absurdas o necias.

Capítulo VI

Hundido en un amplio sillón de orejas, los pies en los morillos del hogar, las pantuflas tostadas por los troncos, que lanzaban, chisporroteando, como azotados por el furioso aliento de un soplete, llamas vivas, des Esseintes dejó sobre una mesa el viejo volumen en cuarto que estaba leyendo, se estiró, encendió un cigarrillo y empezó luego a soñar deliciosamente, lanzado a toda velocidad por una pista de recuerdos, borrada durante meses y súbitamente recuperada por la evocación de un nombre que despertaba, sin motivo, en su memoria.

Se acordaba con sorprendente lucidez de la incomodidad de su compañero Aigurande, cuando, en una reunión de solteros perseverantes, este tuvo que confesar los últimos preparativos de su matrimonio. Hubo exclamaciones de protesta, le pintaron las abominaciones de dormir en la misma cama. Nada funcionó: con la cabeza perdida, creía en la inteligencia de su futura esposa y pretendía haber discernido en ella cualidades excepcionales de abnegación y ternura.

Solo des Esseintes, entre aquellos jóvenes, apoyó su decisión en cuanto supo que su prometida deseaba vivir en la esquina de un nuevo bulevar, en uno de esos modernos inmuebles de apartamentos llamados rotondas.

Convencido de la implacable potencia de las pequeñas miserias, más desastrosas para los temperamentos bien templados que las grandes, y, basándose en el hecho de que Aigurande no poseía fortuna alguna y la dote de su esposa era prácticamente nula, vio en ese simple deseo una perspectiva infinita de males ridículos.

En efecto, Aigurande compró muebles diseñados en redondo, consolas con la trasera recortada formando un semicírculo, rieles de cortinas en forma de arco, alfombras cortadas en forma de medialuna, todo un mobiliario fabricado por encargo. Gastó el doble que los demás y luego, cuando su esposa, falta de dinero para sus vestidos, se cansó de habitar esa rotonda y se trasladó a un apartamento rectangular, más barato, ningún mueble encajaba ni cabía. Poco a poco, ese voluminoso mobiliario se convirtió en una fuente de interminables problemas; la armonía, ya agrietada por la vida en común, se desmoronó semana a semana; se indignaron, reprochándose mutuamente no poder estar en un salón donde los sofás y las consolas no tocaban las paredes y se tambaleaban en cuanto se los rozaba, a pesar de los calzos. Faltó el dinero para reparaciones, de todas formas, casi imposibles. Todo se convirtió en motivo de amargura y disputas: todo, desde los cajones, que se trababan en los muebles mal nivelados, hasta los robos de la sirvienta, que aprovechaba la distracción de las disputas para sisar en la caja; en resumen, la vida se les volvió insoportable. Él se divertía fuera de casa; ella buscaba, entre los recursos del adulterio, el olvido de su vida lluviosa y plana. De común acuerdo, rescindieron el contrato de arrendamiento y solicitaron la separación.

–Mi plan de batalla era exacto –se dijo entonces des Esseintes, quien experimentó esa satisfacción de los estrategas cuyas maniobras, previstas con antelación, acaban triunfando.

Pensando ahora, frente al fuego, en la ruptura de aquella pareja, que él había ayudado a unirse en matrimonio con sus buenos consejos, arrojó otra brazada de leña en la chimenea y volvió de inmediato a sus sueños.

Otros recuerdos, en el mismo orden de ideas, se agolpaban ahora en su memoria.

Una noche, hacía algunos años, se había cruzado en la calle de Rivoli con un mozuelo de unos dieciséis años, un muchacho paliducho y astuto, tentador como una jovencita. Chupaba penosamente un cigarrillo cuyo papel se rompía, perforado por las puntas afiladas de las briznas de tabaco. Mientras maldecía, se frotaba en el muslo cerillas de cocina, que no lograba encender; las gastó todas. Al ver que des Esseintes lo miraba, se le acercó, con la mano en la visera de su gorra, y le pidió educadamente fuego. Des Esseintes le ofreció cigarrillos aromáticos de Dubek[29], entabló conversación con él e incitó al chico a contarle su historia.

Era muy sencilla, se llamaba Auguste Langlois, trabajaba en una fábrica de cartones, había perdido a su madre y tenía un padre que lo golpeaba como a una alfombra. Des Esseintes lo escuchaba pensativo.

–Ven a tomar algo –le dijo. Y lo llevó a un café donde les sirvieron ponches fuertes. El chaval bebía, sin decir palabra–. Veamos –dijo de repente des Esseintes–, ¿quieres divertirte esta noche? Yo invito.

Y se llevó al pequeño a casa de madame Laure, una señora que tenía, en la calle Mosnier, en el tercer piso, varias floristas[30], en una serie de habitaciones rojas, adornadas con espejos redondos y amuebladas con canapés y jofainas.

Muy sorprendido, Auguste miraba, estrujando su gorra, un batallón de mujeres cuyas bocas pintadas se abrieron todas al mismo tiempo:

---

[29] Variedad de tabaco rubio originario de las llanuras griegas y turcas, de gusto dulce y muy aromático.

[30] Chicas que hacían flores artificiales para adorno femenino y que, en la época, como a las trabajadoras, particularmente modistillas, se las consideraba prostitutas ocasionales.

–¡Ah, qué majo! ¡Vaya! ¡Es encantador!

–Pero, oye, pequeño, no tienes la edad –añadió una morena alta, con ojos saltones y nariz aguileña, que desempeñaba en casa de madame Laure el indispensable papel de la bella judía.

Instalado casi como en su casa, des Esseintes conversaba con la patrona en voz baja.

–No tengas miedo, tonto –dijo, dirigiéndose al chico–. Vamos, elige, yo invito. –Y empujó suavemente al chiquillo, que cayó sobre un diván, entre dos mujeres. Ellas se le apretaron un poco, a una señal de la señora, envolviendo las rodillas de Auguste con sus batas, poniéndole bajo la nariz sus hombros empolvados de un cálido y embriagador rocío. Y él ya no se movió, con las mejillas enrojecidas, la boca seca, los ojos bajos, arriesgando, de reojo, miradas curiosas que se fijaban obstinadamente en lo alto de los muslos.

Vanda, la bella judía, lo besó, dándole buenos consejos, recomendándole que obedeciera a sus padres, mientras sus manos vagaban, al mismo tiempo, lentamente, por el niño, cuyo rostro, alterado, se embelesaba mirando su cuello echado hacia atrás.

–Entonces, esta noche no vienes por ti –dijo a des Esseintes madame Laure–. Pero ¿dónde diablos has recogido a este chaval? –añadió, cuando Auguste hubo desaparecido, raptado por la bella judía.

–En la calle, querida.

–Pero no estás borracho –murmuró la vieja dama. Luego, después de reflexionar, añadió con una sonrisa maternal–: Entiendo. ¡Qué bribón! ¡Te gustan tiernos!

Des Esseintes se encogió de hombros. Y añadió:

–No entiendes nada. ¡Ah!, pero nada en absoluto. La verdad es que simplemente estoy tratando de preparar a un asesino. Sigue bien mi razonamiento. Este chico es virgen y ha llegado a la edad en que la sangre hierve; podría perseguir a las chicas de su barrio, divertirse honestamente y tener, en suma, su pequeña parte de la monótona felicidad reservada a los pobres. En cambio, al traerlo aquí, en medio de un lujo que ni siquiera sospechaba y que inevitablemente se grabará en su memoria; al ofrecerle, cada quince días, una oportunidad así, tomará el hábito de estos placeres que sus medios le prohíben. Admitamos que hagan falta tres meses para que le sean imprescindibles. Como, al espaciar estos placeres de esa manera, no corro el riesgo de saciarlo, al cabo de esos tres meses suprimo la pequeña cantidad que te voy a dar por adelantado para esta buena acción y entonces robará para poder seguir viniendo aquí; cometerá todos los delitos imaginables para revolcarse en este diván y bajo este gas[31].

»Llevando las cosas al extremo, matará, espero, al señor que aparezca en el momento inoportuno, mientras intenta forzar su escritorio; entonces, mi objetivo se habrá cumplido, habré contribuido, en la medida de mis recursos, a crear un villano, un enemigo más para esta horrible sociedad que nos explota.

Las mujeres abrieron los ojos de par en par.

–¡Hombre, Auguste! –dijo, viendo al chico, que volvía al salón y se escondía, rojo y avergonzado, detrás de la bella judía–. Vamos, chico, ya es tarde, saluda a estas damas. –Y le explicó, en la escalera, que podría volver, cada quince días y sin pagar, a casa de madame Laure.

Luego, una vez en la calle, en la acera, dijo al atónito muchacho mirándolo fijamente:

–No nos volveremos a ver; vete cuanto antes con tu padre, que le pica la mano de estar inactiva, y recuerda esta palabra casi evan-

---

[31] En París, la iluminación por gas estaba, hasta finales de los años 1880, reservada a las familias acomodadas. El alquiler de una de estas viviendas tenía un sobreprecio.

gélica: haz a los demás lo que no quieres que te hagan a ti. Con esta máxima llegarás lejos. Buenas noches. Y, sobre todo, no seas ingrato, dame noticias tuyas lo antes posible a través de las crónicas de sucesos.

–¡El pequeño Judas! –murmuraba ahora des Esseintes, atizando las brasas–. ¡Y pensar que nunca he visto aparecer su nombre en los sucesos! Es cierto que no me ha sido posible estar todo lo atento que debiera, que pude prever pero no eliminar ciertos contratiempos, como las trampas de la tía Laure, embolsándose el dinero sin dar la mercancía; o que una de esas mujeres se haya encaprichado de Auguste, de tal forma que, al final de los tres meses, el mozo ha seguido consumiendo por la cara; o incluso los vicios podridos de la hermosa judía, que han podido asustar al chico, demasiado impaciente y demasiado joven para prestarse a los lentos preámbulos y a los fulminantes finales de los artificios. A no ser que los problemas los haya tenido después de haber venido a Fontenay y no me haya enterado por no leer periódicos, me han estafado.

Se levantó y dio varias vueltas por la habitación.

–Sería una lástima –se dijo–, porque, con mi manera de proceder, habría realizado la parábola laica, la alegoría de la instrucción universal obligatoria, la cual, pretendiendo nada menos que convertir a todas las personas en Langlois, se las ingenia para, en lugar de eliminar definitivamente y por compasión a los miserables, abrirles los ojos de par en par aunque no quieran, para que vean a su alrededor destinos inmerecidos y más clementes, alegrías más intensas y más refinadas y, por lo tanto, más deseables y costosas.

Y el hecho es, continuó des Esseintes prosiguiendo con su razonamiento, el hecho es que, así como el dolor es un efecto de la educación, así como se amplía y se agudiza a medida que las ideas nacen, cuanto más se esfuerce uno en afinar la inteligencia y el sistema nervioso de los pobres diablos, más se desarrollarán en ellos los gérmenes tan furiosamente vívidos del sufrimiento moral y del odio.

Las lámparas ahumaban. Las despabiló y consultó su reloj. Eran las tres de la madrugada. Encendió un cigarrillo y se sumergió nuevamente en la lectura, interrumpida por sus ensoñaciones, del viejo poema latino *De laude castitatis,* escrito bajo el reinado de Gondebaldo[32] por Avito, obispo metropolitano de Vienne.

[32] Rey de Borgoña (455-516), estableció la capital primero en Vienne y después en Lyon.

Capítulo VII

Después de aquella noche en que, sin causa aparente, le había venido a la memoria el melancólico recuerdo de Auguste Langlois, des Esseintes revivió toda su existencia.

Ahora era incapaz de entender una palabra de los volúmenes que consultaba; sus ojos ya no leían, le parecía que su cerebro, saturado de literatura y arte, se negaba a asimilar más.

Vivía ensimismado, se alimentaba de su propia sustancia, como esos animales adormecidos, escondidos en un agujero durante el invierno. La soledad había actuado en su cerebro como un narcótico. Después de haberlo enervado y tensado, le producía una torpeza invadida de ensoñaciones vagas; aniquilaba sus planes, quebraba sus voluntades, inducía en él un desfile de sueños que soportaba pasivamente, sin intentar siquiera resistirse.

El confuso montón de lecturas, de meditaciones artísticas, que había acumulado durante su aislamiento, a modo de dique para detener la corriente de antiguos recuerdos, había sido abruptamente arrastrado y el flujo se desbordaba, volcando el presente y el futuro, inundándolo todo bajo el manto del pasado, llenando su cabeza de una vasta extensión de tristeza sobre la que flotaban, como ridículos restos, episodios sin interés de su existencia, naderías absurdas.

El libro que sostenía en la mano se le caía en las rodillas. Se abandonaba, lleno de disgusto y alarmas, viendo desfilar los años de su vida difunta, que pivotaban, fluían, alrededor del recuerdo de madame Laure y Auguste, clavado en esas fluctuaciones como una estaca firme, como un hecho claro. ¡Qué época aquella! Era el tiempo de las veladas en sociedad, las carreras, los juegos de cartas, los amores encargados previamente, servidos a la hora, a la medianoche, en su tocador rosa. Recordaba rostros, expresiones, palabras insignificantes que le obsesionaban con la tenacidad de las melodías vulgares que uno no puede dejar de tararear, pero que finalmente se agotan, de repente, sin apenas notarlo.

Ese período fue de corta duración; la memoria se echó una siesta y se sumergió de nuevo en sus estudios latinos para borrar incluso la huella de esos recuerdos.

El impulso estaba dado; una segunda fase sucedió casi inmediatamente a la primera, la de los recuerdos de la infancia, especialmente de los años pasados con los padres jesuitas. Eran más distantes y más seguros, grabados de una manera más marcada y firme: el parque frondoso, los largos paseos, los parterres, los bancos, todos los detalles materiales revivieron en su habitación.

Luego los jardines se llenaron, oyó resonar los gritos de los alumnos, las risas de los profesores mezclándose en los recreos, jugando a la pelota, con la sotana recogida, anudada entre las rodillas, o bien conversando con los jóvenes, sin poses ni arrogancia, como compañeros de la misma edad, bajo los árboles.

Se acordó del yugo, más bien paternal, de los curas, que no eran partidarios de los castigos, negándose a infligir los quinientos y mil versos repetidos, y se conformaban con hacer «reparar»[33] la lección no sabida; que se limitaban a una ligera reprimenda y rodeaban al niño de una vigilancia activa pero suave, buscando agradarle; consintiendo, los miércoles[34], en paseos por él elegidos;

---

[33] Recitar oraciones o plegarias.

[34] Día de descanso en la escuela francesa desde 1887, hoy laborable en la enseñanza secundaria debido a la supresión de clases en sábado.

aprovechando la ocasión de cualquier fiesta menor de la Iglesia, fuera del calendario, para añadir al menú ordinario pasteles y vino, para llevarlo de excursión al campo: en resumen, un yugo paternal que consistía no en embrutecer al alumno, sino en hablar con él, tratarlo ya como a un hombre, mientras lo mimaban como a un niño consentido.

Llegaban así a alcanzar sobre los niños un verdadero ascendiente, a moldear, en cierta medida, las inteligencias que tan cuidadosamente cultivaban, a orientarlas en una dirección, a injertarlas con ideas especiales, a asegurar el crecimiento de sus pensamientos con un método insinuante y zalamero, que prolongaban, esforzándose por seguirlos luego en la vida, por apoyarlos en su carrera, enviándoles esas cartas afectuosas que sabía tan bien escribir el dominico Lacordaire[35] a sus antiguos alumnos de Sorrèze.

Des Esseintes se daba cuenta de la operación a la que, se figuraba, había sido sometido sin resultado alguno. Su carácter, rebelde a los consejos, puntilloso, inquisitivo, propenso a las controversias, había impedido que la disciplina de los padres lo modelara, que sus lecciones lo subyugaran. Una vez fuera del colegio, su escepticismo había aumentado; su paso a través de un mundo legitimista, intolerante y limitado, sus conversaciones con sacristanes poco inteligentes y con curas mediocres, cuyas torpezas desgarraban el velo tan sabiamente tejido por los jesuitas, habían fortalecido aún más su espíritu de independencia, incrementado su desconfianza en cualquier fe.

En suma, se consideraba libre de todo vínculo, de toda restricción; simplemente conservaba, contrariamente a todas las perso-

---

[35] Henri Lacordaire (1802-1861), uno de los representantes más notables del catolicismo liberal, restauró la orden de los dominicos en Francia.

nas educadas en liceos o internados laicos, un excelente recuerdo de su colegio y de sus maestros. Y se preguntaba ahora si las semillas caídas hasta hoy en un suelo estéril no estarían empezando a dar fruto.

En efecto, desde hacía unos días, se encontraba en un estado de ánimo indescriptible. Durante un segundo creía, se dirigía instintivamente hacia la religión; después, al menor razonamiento, su atracción por la fe se evaporaba, pero seguía, a pesar de todo, lleno de inquietud.

Sabía muy bien, al profundizar en su interior, que nunca tendría un espíritu de humildad y penitencia verdaderamente cristiano; sabía, sin asomo de duda, que ese momento del que habla Lacordaire, ese momento de la gracia «en que el último rayo de luz penetra en el alma y conecta en un centro común las verdades que en ella están dispersas», nunca llegaría para él; no sentía esa necesidad de mortificación y oración sin la que, de escuchar a la mayoría de los sacerdotes, ninguna conversión es posible; no sentía ningún deseo de implorar a un Dios cuya misericordia le parecía de las menos probables. Y, sin embargo, la simpatía que guardaba por sus antiguos maestros lo llevaba a interesarse en sus trabajos, en sus doctrinas. Esos acentos inimitables de la convicción, esas voces ardientes de hombres de una inteligencia superior volvían a él, lo llevaban a dudar de su espíritu y de sus fuerzas. En medio de esta soledad en que vivía, sin nuevo alimento, sin impresiones experimentadas recientemente, sin renovación de pensamientos, sin ese intercambio de sensaciones provenientes del exterior, del contacto con el mundo, de la existencia vivida en común; en este confinamiento antinatural en que se obstinaba, todas las preguntas, olvidadas durante su estancia en París, se planteaban de nuevo como irritantes problemas.

La lectura de las obras latinas que amaba, obras casi todas redactadas por obispos y monjes, había contribuido sin duda a desencadenar esta crisis. Envuelto en una atmósfera de convento, en un perfume de incienso que le embriagaba los sentidos, sus nervios se excitaban y, por una asociación de ideas, esos libros habían terminado por reprimir los recuerdos de su vida de joven alocado para sacar a la luz los de su infancia con los padres.

«Está claro –pensaba, tratando de razonar consigo mismo, de seguir el curso de la digestión del elemento activo jesuítico en Fontenay–; desde mi infancia, y sin que lo supiera, tengo dentro esta levadura que aún no ha fermentado; esa misma inclinación que siempre he tenido por los objetos religiosos es quizá una prueba de ello.»

Pero trataba de persuadirse de lo contrario, descontento de no ser ya el amo absoluto de sí mismo. Se procuraba razones: había tenido que inclinarse forzosamente por lo sacerdotal, ya que la Iglesia es la única que ha recogido el arte, la forma perdida de los siglos. Ella había conservado, incluso en las viles reproducciones modernas, el contorno de las orfebrerías; guardado el encanto de los cálices, esbeltos como petunias, de los copones de flancos puros; preservado, incluso en aluminio, en los falsos esmaltes, en los vidrios coloreados, la gracia de las formas de antaño. En suma, la mayoría de los objetos preciosos, clasificados en el museo de Cluny[36] y escapados por milagro del inmundo salvajismo de los descamisados[37], provienen de las antiguas abadías de Francia. Así como la Iglesia ha preservado de la barbarie, en la Edad Media, la filosofía, la historia y las letras, también ha salvado las artes plásticas, trayendo hasta nuestros días esos maravillosos modelos de tejidos, de joyerías, que los fabricantes de

[36] Museo Nacional de la Edad Media, en el Barrio Latino de París, creado en 1843.
[37] Los *sans-culottes* de la Revolución francesa.

cosas santas estropean con saña, sin lograr alterar, sin embargo, su exquisita forma inicial. No había, pues, nada de sorprendente en que hubiera perseguido esos antiguos objetos; que hubiera, como numerosos coleccionistas, adquirido esas reliquias en las tiendas de antigüedades de París, en las tiendas de los quincalleros del campo.

Pero, por más que invocara todas esas razones, no lograba convencerse completamente. Ciertamente y resumiendo, persistía en considerar la religión como una magnífica leyenda, como una magnífica impostura, y, sin embargo, a pesar de todos esos razonamientos, su escepticismo comenzaba a resquebrajarse.

Evidentemente, existía este hecho extraño: ahora estaba menos seguro que en su infancia, cuando la solicitud de los jesuitas era directa, cuando su enseñanza era inevitable, cuando estaba en sus manos y les pertenecía en cuerpo y alma, sin lazos familiares, sin influencias externas que pudieran llevarlo a reaccionar contra ellos. También le habían inculcado cierto gusto por lo maravilloso, que ahora se ramificaba lenta y oscuramente en su alma, y que florecía hoy, en la soledad, y obraba, a pesar de todo, en el espíritu silencioso, introduciéndose, paseando en el reducido tiovivo de las ideas fijas.

Al examinar el trabajo de sus reflexiones, al tratar de enlazar sus hilos, al descubrir sus fuentes y causas, llegó a convencerse de que sus comportamientos en la vida mundana derivaban de la educación que había recibido. Así, su tendencia al artificio, su ansia de excentricidad ¿no eran, en realidad, resultado de estudios falaces, de refinamientos extraterrestres, de especulaciones cuasi teológicas? Eran, en el fondo, trances, impulsos hacia un ideal, hacia un universo desconocido, hacia una beatitud lejana, deseable como la que nos prometen las Escrituras.

Se detuvo en seco, rompiendo el hilo de sus reflexiones. «Vamos –se dijo, disgustado–, estoy aún más afectado de lo que creía; resulta que argumento conmigo mismo, como un casuista[38].»

Quedó pensativo, agitado por un miedo sordo. Ciertamente, si la teoría de Lacordaire era exacta, no tenía nada que temer, ya que el golpe mágico de la conversión no se produce en un sobresalto; para provocar la explosión, el terreno debía estar larga y constantemente minado. Pero, si los novelistas hablan del flechazo del amor, cierto número de teólogos hablan también del flechazo de la religión. Si admitiéramos que esta doctrina es cierta, nadie estaría seguro de no sucumbir. Ya no habría autoanálisis que hacer, ni presentimientos que considerar, ni medidas preventivas que tomar; la psicología del misticismo era nula. Era así porque era así, y eso era todo.

«¡Vaya! Me estoy volviendo estúpido –se dijo des Esseintes–, el miedo a la enfermedad va a acabar por causar la enfermedad misma si esto sigue así.»

Logró sacudirse un poco esta influencia. Sus recuerdos se calmaron, pero aparecieron otros síntomas malsanos. Ahora solo le obsesionaban las controversias: el parque, las lecciones, los jesuitas estaban lejos; las abstracciones lo dominaban por completo; pensaba, a su pesar, en interpretaciones contradictorias de dogmas, en apostasías perdidas, consignadas en la obra sobre los concilios del padre Labbe[39]. Le asaltaban fragmentos de esos cismas, retazos de esas herejías que dividieron durante siglos a las Iglesias de Occidente y Oriente. Aquí, Nestorio, negando a la Virgen el título de madre de Dios porque, en el misterio de la Encarnación, no era el Dios, sino la criatura humana lo que había llevado en su vientre;

[38] La casuística es la aplicación de los principios generales de la moral a casos concretos de la actividad humana con el propósito de determinar lo que se debe o no se debe hacer. Los jesuitas fueron acusados de laxismo en el ejercicio de esta disciplina, que formaba parte de sus estudios en Francia.

[39] Philippe Labbe (1607-1667), historiador jesuita.

allí, Eutiquio, declarando que la imagen de Cristo no podía parecerse a la de los otros hombres, ya que la Divinidad había elegido domicilio en su cuerpo y, por lo tanto, había cambiado su forma por completo; más allá, otros polemistas sostenían que el Redentor no había tenido cuerpo en absoluto, que esa expresión de los libros sagrados debía tomarse en sentido figurado. Mientras tanto, Tertuliano emitía su famoso axioma casi materialista: «Nada es incorpóreo, excepto lo que no es; todo lo que es tiene un cuerpo que le es propio». Finalmente, esa vieja cuestión, debatida durante años: ¿ha sido Cristo el único atado a la cruz?, o ¿es la Trinidad, una en tres personas distintas, la que ha sufrido en su triple hipóstasis en el patíbulo del Calvario? Todas estas cuestiones, en suma, lo acosaban y lo agobiaban, y, maquinalmente, como una lección aprendida antaño, se planteaba a sí mismo las preguntas y se daba las respuestas.

Algunos días, su cerebro era invadido por un enjambre de paradojas, de sutilezas, un vuelo de cabellos cortados en cuatro, una madeja de reglas tan complicadas como los artículos de los códigos, prestándose a todas las interpretaciones, a todos los juegos de palabras, desembocando en una jurisprudencia celestial de lo más sutil, de lo más barroca; luego, el lado abstracto se desvaneció y todo un lado plástico le sucedió bajo la influencia de los Gustave Moreau colgados en las paredes.

Vio desfilar toda una procesión de prelados: archimandritas y patriarcas levantando, para bendecir a la multitud arrodillada, brazos de oro, agitando sus barbas blancas en la lectura y la oración; vio precipitarse en criptas oscuras filas silenciosas de penitentes; vio elevarse inmensas catedrales donde tronaban monjes blancos en sus púlpitos. De la misma forma que, después de una dosis de opio, de Quincey, a la sola mención de *«consul romanus»,* recitaba páginas enteras de Tito Livio y veía avanzar el cortejo solemne de los cónsules y desplazarse el pomposo orden de los ejércitos romanos, des Esseintes, ante una expresión teológica se emocionaba y veía claramente mareas humanas, apariciones episcopales destacándose sobre los fondos incendiados de las basílicas. Esos espectáculos lo tenían hechizado, corriendo de edad en edad, hasta llegar a las ceremonias religiosas modernas, arrastrándolo en un infinito de música quejosa y dulce.

No tenía entonces que hacerse más razonamientos ni sostener debates; era una indefinible impresión de respeto y temor; el sentido artístico estaba dominado por las escenas tan bien calculadas de los católicos. Con estos recuerdos, sus nervios se agitaban; luego, en una súbita rebelión, en un rápido giro, nacían en él ideas monstruosas, ideas de esos sacrilegios previstos en el manual de los confesores, de los ignominiosos e impuros abusos del agua bendita y de los santos óleos. Frente a un Dios omnipotente, se alzaba ahora un rival lleno de fuerza, el Demonio, y le parecía que debía resultar de una horrenda grandeza el crimen practicado, en plena iglesia, por un creyente obstinado, lleno de horrible alegría, con un gozo totalmente sádico, en blasfemar, en cubrir de ultrajes, en llenar de oprobios las cosas reverenciables. Le surgían locuras de magia, de misa negra, de aquelarre, terrores de posesiones y exorcismos; llegaba a preguntarse si no cometía un sacrilegio al poseer objetos antiguamente consagrados, cánones de iglesia, casullas y custodias. Y este pensamiento de estado pecaminoso le traía una especie de orgullo y alivio: veía en él placeres sacrílegos, pero eran sacrilegios discutibles, en todo caso, poco graves, ya que, de todos modos, amaba esos objetos y no pervertía su uso. Se mecía así con pensamientos prudentes y cobardes, ya que las sospechas de su alma le prohibían crímenes manifiestos y le quitaba la valentía necesaria para cometer pecados espantosos, deseados, reales.

Poco a poco, en fin, estas argucias se desvanecieron. Vio, en cierto modo, desde lo alto de su espíritu, el panorama de la Iglesia, su inveterada influencia sobre la humanidad desde hacía siglos; se la representaba, desolada y grandiosa, anunciando al hombre el horror de la vida, la inclemencia del destino, predicando la paciencia, la contrición, el espíritu de sacrificio; tratando de curar las heridas, mostrando las llagas sangrantes de Cristo; asegurando privilegios divinos, prometiendo la mejor parte del paraíso a los afligidos; exhortando a la criatura humana a sufrir; a presentar a Dios, como un holocausto, sus tribulaciones y sus ofensas, sus vicisitudes y sus penas. La Iglesia se mostraba verdaderamente elocuente, maternal, con los miserables, piadosa con los oprimidos, amenazadora con los opresores y los déspotas.

Aquí, des Esseintes volvía a hacer pie. Ciertamente, estaba satisfecho con este reconocimiento de la inmundicia social, pero entonces se rebelaba contra el vago remedio de una esperanza en la otra vida. Schopenhauer era más exacto; su doctrina y la de la Iglesia partían de un punto de vista común; él también se basaba en la iniquidad y la vileza del mundo, él también lanzaba, con la *Imitación de Cristo*[40], este clamor doloroso: «¡En verdad, es una miseria vivir en la tierra!». Él también predicaba la nada de la existencia, las ventajas de la soledad, advertía a la humanidad de que, hiciera lo que hiciera, se volviera hacia donde se volviera, seguiría siendo infeliz: pobre, a causa de los sufrimientos que nacen de las privaciones; rica, debido al invencible aburrimiento que genera la abundancia. Pero no predicaba ninguna panacea, no arrullaba, para remediar males inevitables, con ningún engaño.

[40] Escrita por el monje holandés Tomás de Kempis a principios del siglo xv, es la obra de espiritualidad más leída por los cristianos, después de la Biblia. En ella se exhorta al hombre a elegir entre dos mundos: el de la naturaleza y el de la gracia, siempre tomando a Jesucristo como modelo.

Él no sostenía el repulsivo principio del pecado original. No intentaba probar que Dios es un ser extraordinariamente bueno, que protege a los sinvergüenzas, ayuda a los imbéciles, aplasta la infancia, embrutece a los viejos, castiga a los inocentes. No exaltaba los beneficios de una Providencia que ha inventado el sufrimiento físico, esa abominación inútil, incomprensible, injusta, absurda: lejos de intentar justificar, como la Iglesia, la necesidad de tormentos y pruebas, exclamaba, en su misericordia indignada: «Si un Dios ha hecho este mundo, no me gustaría ser ese Dios; la miseria del mundo me desgarraría el corazón».

¡Ah! ¡Solo él estaba en lo cierto! ¿Qué eran todas las farmacopeas evangélicas en comparación con sus tratados de higiene espiritual? No pretendía curar nada, no ofrecía a los enfermos ninguna compensación, ninguna esperanza; pero su teoría del Pesimismo era, en suma, la gran consoladora de las inteligencias escogidas, de las almas elevadas; mostraba la sociedad tal como es, insistía en la necedad innata de las mujeres, señalaba las trampas, salvándote de las desilusiones al advertirte de que restrinjas tus esperanzas tanto como sea posible, que no concibas ninguna si te sientes capaz, y que, finalmente, te consideres feliz si, en momentos inesperados, no te caen encima tejas formidables.

Partiendo del mismo punto que la *Imitación,* esta teoría llegaba, también, pero sin perderse entre misteriosos laberintos y caminos inverosímiles, al mismo lugar: a la resignación, a la impasibilidad.

Solo que, si esta resignación, nacida de la constatación de un estado de cosas deplorable y de la imposibilidad de cambiarlo, era accesible para los ricos de espíritu, también era más difícilmente comprensible para los pobres, cuya benéfica religión calmaba más fácilmente las reivindicaciones y las cóleras.

Estas reflexiones aliviaban a des Esseintes de un pesado fardo;

los aforismos del gran alemán apaciguaban los temblores de sus pensamientos y, sin embargo, los puntos de contacto de estas dos doctrinas las ayudaban a llamarse mutuamente en la memoria, y no podía olvidar ese catolicismo tan poético, tan conmovedor, en el que se había bañado y del que había absorbido en otros tiempos la esencia por todos los poros.

Estos retornos de la creencia, estas aprensiones de la fe lo atormentaban, especialmente desde que le afectaban a la salud. Coincidían con la aparición de desórdenes nerviosos.

Desde su juventud, muy pronto, lo habían torturado repulsiones inexplicables, estremecimientos que le helaban la espina dorsal y le hacían rechinar los dientes; por ejemplo, cuando veía a una criada retorciendo ropa mojada. Estos efectos persistían; aún hoy sufría realmente al oír rasgar una tela, al frotar un dedo contra un trozo de tiza, al palpar con la mano un trozo de muaré.

Los excesos de su vida de soltero, las tensiones exageradas de su cerebro habían agravado notablemente su neurosis original y debilitado la sangre, ya desgastada, de su linaje. En París, tuvo que seguir tratamientos de hidroterapia por los temblores en los dedos, por dolores terribles; las neuralgias, que le partían la cara en dos, le golpeaban continuamente las sienes, le pinchaban los párpados y le daban náuseas, que solo podía combatir acostándose de espaldas, en la oscuridad.

Estos achaques habían desaparecido lentamente gracias a una vida más ordenada, más tranquila; ahora, volvían a imponerse, variando de forma, recorriendo todo el cuerpo. Los dolores abandonaban la cabeza y se trasladaban al vientre, hinchado, duro; a las entrañas, como atravesadas por un hierro candente; a los esfuerzos inútiles y apremiantes. Luego, una tos nerviosa, desgarradora, seca, comenzando siempre a cierta hora, durando siempre los mismos minutos, lo despertaba, lo estrangulaba en la cama.

Finalmente, se quedó sin apetito; un ardor gaseoso y caliente, fuegos secos recorrían su estómago; se hinchaba, se ahogaba y no podía soportar, después de cada intento de comida, unos pantalones abotonados ni un chaleco ceñido.

Suprimió el alcohol, el café, el té, bebió lacticinios, recurrió a abluciones de agua fría, se atiborró de asafétida[41], de valeriana y de quinina; incluso quiso salir de su casa, pasear un poco por el campo cuando llegaron esos días de lluvia en que está silencioso y vacío. Se obligó a caminar, a hacer ejercicio; como último recurso, renunció provisionalmente a la lectura y, consumido por el aburrimiento, se decidió, para ocupar su vida ociosa, a realizar un proyecto que había pospuesto constantemente, por pereza, por odio al desorden, desde que se instaló en Fontenay.

No pudiendo ya embriagarse de nuevo con las magias del estilo, excitarse con el delicioso sortilegio del epíteto raro que, aunque preciso, abre sin embargo a la imaginación de los iniciados horizontes infinitos, decidió completar el mobiliario de la casa, procurarse flores preciosas de invernadero y concederse, así, una ocupación material que lo distrajera, le relajara los nervios, le descansara el cerebro. Y esperaba también que la contemplación de sus extrañas y espléndidas tonalidades lo compensara un poco de los quiméricos y reales colores del estilo que su nueva dieta literaria iba a hacerle olvidar momentáneamente o perder por completo.

[41] Gomorresina extraída de la planta del mismo nombre, de olor muy fuerte y fétido, utilizada como antiespasmódico.

Capítulo VIII

Las flores le habían apasionado desde siempre, pero esa pasión, que durante sus estancias en Jutigny se había extendido inicialmente a todas las flores, sin distinción de especies ni géneros, había terminado por refinarse, centrándose en una sola clase.

Desde hacía mucho tiempo, despreciaba la planta vulgar que florece, en los puestos de los mercados parisinos, en macetas mojadas, bajo toldos verdes o sombrillas rojizas.

Al mismo tiempo que sus gustos literarios y sus preocupaciones artísticas se habían refinado, limitándose solo a las obras más selectas, destiladas por espíritus torturados y sutiles, al mismo tiempo también que su hastío por las ideas comunes se había afirmado, su afecto por las flores se había liberado de todo residuo, de todo lo vulgar, y, de alguna manera, se había clarificado y rectificado.

Asimilaba gustosamente la tienda de un horticultor a un microcosmos donde estaban representadas todas las categorías de la sociedad: las flores pobres y canallas, las flores de tugurio, que están en su verdadero medio solo cuando descansan en los alféizares de las buhardillas, con las raíces apretadas en botes de leche y viejas tarrinas, como el alhelí; las flores pretenciosas, convencionales, insulsas, cuyo sitio está únicamente en maceteros de porcelana pintados por jovencitas, como la rosa; finalmente, las flores de alta estirpe, como las orquídeas, delicadas y encantadoras, palpitantes y frioleras; las flores exóticas, exiliadas en París, resguardadas en palacios de cristal; y las princesas del reino vegetal, que viven aisladas del resto, sin nada en común con las plantas de la calle y las flores burguesas.

En resumen, no dejaba de sentir cierto interés, cierta piedad, por las flores populares, extenuadas por los alientos de las alcantarillas y las cañerías en los barrios pobres. En cambio, aborrecía los ramos a juego con los salones crema y oro de las casas nuevas y reservaba, finalmente, para el completo deleite de sus ojos, las plantas distinguidas, raras, venidas de lejos, mantenidas con cuidados ingeniosos en falsos trópicos producidos por los soplos dosificados de las estufas.

Pero esta elección, definitivamente centrada en flores de invernadero, se había modificado bajo la influencia de sus ideas generales, de sus opiniones ahora firmes sobre cualquier asunto. Antaño, en París, su inclinación natural hacia el artificio lo había llevado a abandonar la flor verdadera por su imagen fielmente reproducida, gracias a los milagros del caucho y los hilos, de las percalinas y los tafetanes, de los papeles y los terciopelos.

Tenía, así, una maravillosa colección de plantas tropicales, trabajadas por las manos de competentes artistas, siguiendo la naturaleza paso a paso, recreándola, llevando la flor desde su nacimiento hasta su madurez, simulándola hasta su declive; captando los matices más insignificantes, los rasgos más fugaces de su despertar o su reposo; observando la disposición de sus pétalos, volteados por el viento o arrugados por la lluvia; echando sobre sus corolas matutinas gotas de rocío de goma; modelándola en plena floración, cuando las ramas se curvan bajo el peso de la savia; o alargando su tallo seco, su corola marchita, cuando los cálices se despojan y las hojas caen.

Este arte admirable lo había seducido durante mucho tiempo, pero ahora soñaba con combinaciones a base de otro tipo de flora.

Después de las flores artificiales, que imitaban a las flores verdaderas, quería flores naturales que imitaran a las flores falsas.

Dirigió sus pensamientos en esa dirección; no tuvo que buscar mucho tiempo ni ir lejos, ya que su casa estaba situada en medio de la región de los grandes horticultores. Se fue, tranquilamente, a visitar los invernaderos de la avenida de Châtillon y del valle de Aunay, de donde volvió exhausto, con la bolsa vacía, maravillado por las extravagancias vegetales que había visto, pensando solo en las especies que había adquirido, obsesionado sin tregua por recuerdos de cestas con flores magníficas y extrañas.

Dos días después, llegaron los coches con la mercancía.

Con la lista en la mano, des Esseintes preguntaba por sus compras, las nombraba y las verificaba una por una. Los jardineros bajaron de sus carretas una colección de *Caladiums,* que sostenían, con sus tallos turgentes y velludos, hojas enormes en forma de corazón. Aunque conservaban entre ellos un aire de familia, ninguno se repetía.

Los había extraordinarios, de tonos rosados, como el *Virginale,* que parecía recortado de una tela barnizada, de tafetán engomado de Inglaterra; otros, completamente blancos, como el *Albana,* que parecía cortado en la pleura transparente de un buey o en la vejiga diáfana de un cerdo. Otros, especialmente el *Madame mame,* imitaban el zinc, parodiaban pedazos de metal estampado, teñidos en verde emperador, ensuciados por gotas de pintura al óleo, por manchas de minio y de albayalde; otros, como el *Bósforo,* daban la ilusión de un lienzo con apresto, moteado de carmesí y verde mirto; los de más allá, como el *Aurora boreal,* desplegaban una hoja color carne cruda, estriada de nervios púrpura, de fibrillas violáceas, una hoja tumefacta, sudando vino azul y sangre.

El *Albana* con el *Aurora* presentaban las dos notas extremas del temperamento, la apoplejía y la clorosis de la planta.

Los jardineros trajeron, además, nuevas variedades con una apariencia de piel artificial surcada de falsas venas. Y la mayoría, como si estuvieran carcomidas por sífilis y lepra, exhibían carnes lívidas, jaspeadas de rosetones, damasquinadas de sarpullidos. Unas tenían el tono rosa vivo de las cicatrices que se cierran o el tinte marrón de las costras que se forman; otras estaban abultadas por la cauterización, levantadas por quemaduras; algunas mostraban epidermis peludas, horadadas por úlceras donde crecían los tumores; otras, en fin, parecían cubiertas con vendajes manchados de un ungüento negro mercurial, de ungüentos verdes de belladona, salpicados de partículas por las micas amarillas de polvo de yodoformo.

Todas juntas, estas flores estallaron ante des Esseintes, más monstruosas que cuando las había descubierto confundidas con las demás, como en un hospital, entre las salas acristaladas de los invernaderos.

–¡Fantástico! –exclamó entusiasmado.

Una nueva planta, de un modelo similar al de los *Caladiums,* la *Alocasia metallica,* lo exaltó aún más. Estaba recubierta de una capa verde bronce sobre la que se deslizaban reflejos de plata; era la obra maestra del artificio, se diría un trozo de tubo de estufa recortado en forma de lanza por un deshollinador.

Los hombres descargaron a continuación matas de hojas romboides color verde botella. Del centro subía una varilla en cuyo extremo temblaba un gran as de corazones, barnizado como un pimiento. Como para burlarse de todos los aspectos conocidos de las plantas, del centro de ese as, de un bermellón intenso, surgía una cola carnosa, algodonosa, blanca y amarilla, recta en la parte final y enroscada, como el rabo de un cerdo, en lo alto del corazón.

Era el *Anthurium,* una arácea recientemente importada de Colombia. Formaba parte de un lote de esta familia, a la que también pertenecía un *Amorphophallus,* una planta de Cochinchina, de hojas cortadas en forma de espátulas para pescado, con largos tallos negros cosidos de cicatrices, parecidos a los miembros dañados de un negro.

Des Esseintes exultaba.

La descarga seguía. Sacaron de los coches una nueva tanda de monstruos: *Echinopsis,* cuyas flores, de un rosa de muñón repugnante, salían de compresas de algodón; *Nidularium,* que mostraban, en unas superficies como hojas de sable, cavidades desolladas y abiertas; *Tillandsia lindenii,* con hojas como raspadores mellados, color de mosto de vino; *Cypripedium,* de contornos complicados, incoherentes, imaginados por un inventor demente. Se parecían a un zueco, a un cuenco, del que saliera una lengua humana, con el frenillo estirado, como las que se ven dibujadas en las láminas de los libros que tratan de las afecciones de la garganta y la boca. Dos pequeñas aletas de color rojo azufaifo, que parecían sacadas de un molino de juguete, completaban esta recreación barroca de un frenillo, color de posos y pizarra, y de una bolsita lustrosa cuyo forro rezumaba un pegamento viscoso.

No podía apartar los ojos de una inverosímil orquídea proveniente de la India. Los jardineros, aburridos por esta lentitud, empezaron a anunciar, ellos mismos, en voz alta, las etiquetas clavadas en las macetas. Des Esseintes miraba, atónito, escuchando el sonido de los nombres repulsivos de las plantas verdes: el *Encephalarios horridus,* una gigantesca alcachofa de hierro, pintada de óxido, como las que se ponen en las puertas de los castillos para impedir las escaladas; el *Cocos micania,* una especie de palmera, dentada y delgada, rodeada por todas partes de altas hojas parecidas a palas y remos; la *Zamia lehmanni,* un inmenso ananás, un prodigioso pan de Chester[42] plantado en tierra de brezo y erizado,

[42] Queso de Chester con forma de piña.

en su cima, de jabalinas con púas y flechas salvajes; el *Cibotium spectabile,* que superaba a sus congéneres por la locura de su estructura, desafiando al sueño, alzando en un follaje palmeado una enorme cola de orangután, una cola peluda y marrón con la punta retorcida en forma de báculo de obispo.

Pero apenas las contemplaba, y esperaba con impaciencia la serie de plantas que lo seducían; entre todas, los vampiros vegetales, las plantas carnívoras, el atrapamoscas de las Antillas, con su hoja peluda, que segrega un líquido digestivo, equipado con espinas curvas que se repliegan unas sobre otras formando una rejilla sobre el insecto que aprisiona; las droseras de las turberas, cubiertas de pelos glandulosos, las sarracenias, las *Cephalothus,* que abren voraces trompetas capaces de digerir, de absorber, verdaderas carnes; finalmente el *Nepenthes,* cuya fantasía supera los límites conocidos de las formas excéntricas.

No se cansaba de dar vueltas y vueltas entre las manos a la maceta donde se agitaba esta extravagancia de la flora. Imitaba el caucho con su hoja alargada, de un verde metálico y oscuro, pero del extremo de la hoja colgaba un hilo verde, descendía un cordón umbilical que sostenía un recipiente verdoso jaspeado de violeta, una especie de pipa alemana de porcelana, un singular nido de pájaro que se balanceaba, tranquilo, mostrando un interior tapizado de pelos.

–Esta llegará lejos –murmuró des Esseintes.

Tuvo que desistir de su alegría, ya que los jardineros, con prisa por irse, vaciaban el fondo de sus carretillas, colocaban de cualquier manera begonias tuberosas y ricinos negros manchados de rojo saturno en hojalata.

Entonces se dio cuenta de que aún quedaba un nombre en su lista, la *Cattleya* de Nueva Granada. Le señalaron una campanita alada de un lila desvaído, de un malva casi apagado; se acercó, puso la nariz sobre ella y retrocedió bruscamente: exhalaba un olor a pino barnizado, a caja de juguetes, evocaba los horrores de un día de Año Nuevo.

Pensó que haría bien en desconfiar de ella; casi lamentó haber admitido, entre las plantas inodoras que poseía, esta orquídea que desprendía los recuerdos más desagradables.

Una vez solo, miró la ola de vegetales que rompía en su vestíbulo. Se entremezclaban, cruzaban sus espadas, sus krises[43], sus lanzas, dibujaban un haz de armas verdes, sobre las que flotaban, como estandartes bárbaros, flores de tonos cegadores y duros.

El aire de la habitación se enrarecía; enseguida vio, en la oscuridad de una esquina, cerca del suelo, que una luz reptaba, blanca y suave.

La alcanzó y se dio cuenta de que eran rizomorfos, que exhalaban esas luces de palmatoria al respirar.

«Estas plantas son realmente asombrosas», se dijo. Luego retrocedió y abarcó de un vistazo el montón: su objetivo estaba alcanzado. Ninguna parecía real; la tela, el papel, la porcelana, el metal parecían haber sido prestados por el hombre a la Naturaleza para permitirle crear sus monstruos. Esta, cuando no había podido imitar la obra humana, se había visto reducida a copiar las membranas interiores de los animales, a tomar prestados los vivos colores de sus carnes en descomposición, los magníficos horrores de sus gangrenas.

«Todo es sífilis», pensó des Esseintes, con la vista atraída por los *Caladium,* clavada en sus horribles rayas, acariciadas por un rayo de sol.

Y, bruscamente, tuvo la visión de una humanidad constantemente afectada por el virus de los tiempos antiguos. Desde el

---

[43] Dagas, de uso en Filipinas y Malasia, de hoja serpenteada.

principio del mundo, de padres a hijos, todas las criaturas se transmitían la herencia inagotable, la enfermedad eterna que ha devastado a los antepasados del hombre, que ha profundizado hasta los huesos, ahora exhumados de los viejos fósiles.

Se había transmitido, sin agotarse nunca, a través de los siglos; hoy en día, aún se cebaba, ocultándose en sufrimientos insidiosos, disimulándose bajo los síntomas de migrañas y bronquitis, vapores y gota; de vez en cuando, subía a la superficie, atacando preferentemente a las personas poco cuidadas, mal alimentadas, estallando en piezas de oro, poniendo, por ironía, un adorno de monedas de bailarina egipcia en la frente de los pobres diablos, grabándoles, para colmo de miseria, en la epidermis, la imagen del dinero y del bienestar[44].

Y ¡ahí estaba de nuevo, en su primer esplendor, sobre el colorido follaje de las plantas!

«Es cierto –prosiguió des Esseintes, volviendo al punto de partida de su razonamiento–, es cierto que, la mayor parte del tiempo, la naturaleza, por sí sola, es incapaz de procrear especies tan insalubres y tan perversas; ella proporciona la materia prima, el germen y el suelo, la matriz nutritiva y los elementos de la planta que el hombre eleva, modela, pinta, esculpe luego a su antojo.

»Por obstinada, confusa y limitada que sea, finalmente se ha sometido, y su amo ha logrado cambiar mediante reacciones químicas las sustancias de la tierra, usar combinaciones largamente meditadas, cruzamientos lentamente preparados, utilizar esquejes expertos, injertos metódicos, y ahora la obliga a que crezcan flores de diferentes colores en la misma rama, inventa para ella nuevos tonos, modifica, a su antojo, la forma secular de sus plantas, apor-

---

[44] En la época no se disponía de un remedio eficaz contra la sífilis, sufrida por personajes notables; entre otros, Baudelaire, Flaubert, Daudet, Maupassant, Verlaine, Manet y Nietzsche.

ta finura al conjunto, remata sus bocetos, las marcas de su cuño, y les imprime su sello artístico.

»No hay duda –dijo, resumiendo sus reflexiones–, el hombre, en unos pocos años, puede lograr una selección que la perezosa Naturaleza solo puede producir después de siglos; decididamente, en estos tiempos, los horticultores son los únicos y verdaderos artistas.»

Estaba un poco cansado y se asfixiaba en esta atmósfera de plantas encerradas; las caminatas que había dado en los últimos días lo habían agotado; pasar del aire libre a la tibieza del hogar, de la inmovilidad de una vida recluida al movimiento de una existencia liberada, había sido demasiado brusco. Abandonó el vestíbulo y se tendió en la cama; pero, absorbido por un único tema, como accionado por un resorte, el espíritu, aunque dormido, continuó devanando su madeja, y pronto rodó en las oscuras locuras de una pesadilla.

Se encontraba en medio de un sendero en pleno bosque, a la hora del crepúsculo; caminaba al lado de una mujer que nunca había conocido, ni siquiera visto; era flaca, tenía el pelo descolorido, una cara de bulldog, pecas en las mejillas, dientes torcidos, que sobresalían bajo una nariz chata. Llevaba un delantal blanco de criada, un largo pañuelo cruzado en bandolera sobre el pecho, botas de media caña de soldado prusiano y una cofia negra adornada con una banda de frunces y rematada con unas cintas atadas como una col.

Tenía aspecto de extranjera, la apariencia de una saltimbanqui de feria.

Se preguntó quién era aquella mujer que, sentía, se había colado, implantado, ya desde hacía tiempo, en su intimidad y en su vida. Buscaba en vano su origen, su nombre, su oficio, su razón de ser; no le venía ningún recuerdo de esta relación inexplicable y, sin embargo, cierta.

Seguía escudriñando en su memoria cuando, de repente, una figura extraña a caballo apareció ante ellos, trotó un minuto y giró en su silla.

Entonces, su sangre se heló de repente y quedó paralizado por el horror. Aquella figura ambigua, asexuada, era verde. Bajo unos párpados violetas, se abrían unos ojos de un azul claro y frío, terribles. Tenía la boca rodeada de granos; unos brazos extraordinariamente delgados, de esqueleto, desnudos hasta los codos, salían de mangas andrajosas, temblaban de fiebre, y los muslos descarnados tiritaban dentro de unas botas como embudos, demasiado anchas.

La espantosa mirada se fijó en des Esseintes, lo penetró y lo congeló hasta los huesos. Más aterrada todavía, la mujer bulldog se aferró a él y aulló desesperadamente, con la cabeza echada hacia atrás y el cuello rígido.

Y entonces comprendió el significado de aquella espantosa visión. Tenía ante sus ojos la imagen de la Sífilis.

Presa del miedo, fuera de sí, tomó un sendero y corrió a toda velocidad hacia un pabellón que se alzaba entre falsos ébanos[45], a la izquierda; allí se desplomó sobre una silla, en un pasillo.

Después de unos momentos, cuando empezaba a recobrar el aliento, unos sollozos le hicieron levantar la cabeza; la mujer bulldog estaba frente a él; lamentable y grotesca, lloraba a mares, diciendo que había perdido los dientes durante la huida, y sacaba de su delantal de sirvienta unas pipas de arcilla, las rompía y se clavaba trozos de los caños blancos en los agujeros de sus encías.

«¡Ah! Pero ella es absurda –pensaba des Esseintes–; nunca esos caños podrán quedarse en su sitio», y, efectivamente, todos se caían de su mandíbula, uno tras otro.

---

[45] Árbol también conocido como codeso.

En ese momento, se acercó el galope de un caballo. Un terror espantoso se apoderó de des Esseintes; sus piernas flaquearon; el galope se precipitaba; la desesperación lo levantó como un latigazo; se lanzó sobre la mujer que ahora pisoteaba los trozos de las pipas, suplicándole que se callara, que no los delatara con el ruido de sus botas. Ella se resistía, él la arrastró al fondo del pasillo, estrangulándola para que no gritara. De repente, vio una puerta de taberna, con persianas pintadas de verde, sin cerrojo; la empujó, tomó impulso y se detuvo.

Frente a él, en medio de un claro inmenso, gigantescos y blancos pierrots saltaban como conejos bañados por la luna.

Lágrimas de desánimo le llenaron los ojos. Nunca, jamás podría cruzar el umbral de la puerta. Seré aplastado, pensaba. Y, como para justificar sus temores, la serie de inmensos pierrots se multiplicaba; sus volteretas llenaban ahora todo el horizonte, todo el cielo, que golpeaban alternativamente con sus pies y con su cabeza.

Entonces, los pasos del caballo se detuvieron. Des Esseintes estaba allí, detrás de una ventana redonda, en el pasillo; más muerto que vivo, se volvió, vio por la claraboya unas orejas tiesas, unos dientes amarillos, unas fosas nasales que exhalaban dos chorros de vapor que apestaban a fenol.

Se derrumbó, renunciando a luchar, a huir; cerró los ojos para no ver la mirada horrenda de la Sífilis, que sentía como una amenaza a través del muro, que se le cruzaba, incluso bajo sus párpados cerrados, que sentía deslizarse por la espalda húmeda, sobre su cuerpo, cuyos pelos se erizaban en charcos de sudor frío. Esperaba cualquier cosa, incluso deseaba el golpe de gracia para terminar con todo; transcurrió un siglo, que seguramente duró solo un minuto; volvió a abrir los ojos temblando. Todo había desaparecido; de repente, como si hubiera habido un cambio de escenario, un truco de decorado, un paisaje mineral atroz se extendía a lo lejos, un paisaje pálido, desierto, erosionado, muerto. Una luz iluminaba ese sitio desolado, una luz tranquila, blanca, que recordaba los destellos del fósforo disuelto en aceite.

Algo, en el suelo, se movió y se convirtió en una mujer muy pálida, desnuda, con las piernas moldeadas en medias de seda verde.

La contempló con curiosidad; sus cabellos, semejantes a crines rizadas con tenazas demasiado calientes, se encrespaban quebrándose en las puntas; urnas de Nepentes[46] colgaban de sus orejas; tonos de ternera asada brillaban en sus fosas nasales entreabiertas. Con los ojos lánguidos, lo llamó en voz baja.

No tuvo tiempo de responder porque ya la mujer cambiaba; por sus pupilas pasaban colores resplandecientes; sus labios se teñían del rojo furioso de los anturios, los botones de sus pechos estallaban, barnizados como dos pimientos rojos.

De repente, una intuición lo asaltó:

–Es la Flor[47] –se dijo; y su manía razonadora persistía en la pesadilla derivando, igual que durante el día, de la vegetación al virus.

Entonces observó la espantosa irritación de los pechos y la boca, descubrió en la piel del cuerpo máculas de hollín y cobre[48], y retrocedió, desorientado; pero la mirada de la mujer lo fascinaba y él avanzaba lentamente, tratando de clavar los talones en la tierra para no caminar, dejándose caer, levantándose de nuevo para ir hacia ella; casi la tocaba cuando negros *Amorphophallus* brotaron de todas partes, se lanzaron hacia ese vientre que se levantaba y

---

[46] Excrecencias de aspecto fruncido que aparecen en la punta de las hojas de esta planta carnívora, cuya cavidad es una trampa mortal para los insectos.

[47] La misma imagen floral que para Salomé, «gran flor venérea».

[48] Síntoma dermatológico de la sífilis en forma de moneda de cobre.

bajaba como un mar. Los apartó, los rechazó, sintiendo una repugnancia sin límites al ver que esos tallos tibios y firmes se retorcían entre sus dedos; luego, de pronto, las odiosas plantas desaparecieron y dos brazos intentaron abrazarlo; una angustia espantosa hizo que su corazón resonara con fuertes latidos, pues los ojos, los horribles ojos de la mujer, terribles, se habían vuelto de un azul claro y frío. Hizo un esfuerzo sobrehumano para liberarse de sus abrazos, pero con un gesto irresistible, ella lo retuvo, lo agarró y, aturdido, vio florecer bajo sus muslos desnudos, el feroz *Nidularium,* que bostezaba, sangrando, entre lamas de sable[49].

Rozaba con su cuerpo la herida repugnante de la planta; se sintió morir, se despertó de un sobresalto, sofocado, helado, loco de miedo, suspirando:

–¡Ah! No es más que un sueño, gracias a Dios.

[49] El sueño recurre al *Nidularium* como una alusión a la castración.

Capítulo IX

Las pesadillas se renovaron; temía quedarse dormido. Se quedaba tumbado en la cama horas enteras, unas veces con insomnios persistentes y agitaciones febriles, otras con sueños abominables que se rompían con los sobresaltos de un hombre que pierde pie al bajar una escalera y cae rodando, sin poder detenerse, hasta el fondo de un abismo.

La neurosis, adormecida durante algunos días, volvía a tomar el control, se revelaba más vehemente y más terca bajo nuevas formas.

Ahora las mantas le molestaban; se ahogaba bajo las sábanas y tenía hormigueos por todo el cuerpo, ardores de sangre, picaduras de pulgas a lo largo de las piernas. A estos síntomas se unieron pronto un dolor sordo en las mandíbulas y la sensación de que una prensa le comprimía las sienes.

Sus inquietudes aumentaron. Lamentablemente, faltaban los medios para domar la inexorable enfermedad. Había intentado, en vano, instalar aparatos hidroterápicos en el cuarto de baño. La imposibilidad de hacer subir el agua a la altura donde estaba ubicada la casa, la propia dificultad de conseguir agua en cantidad suficiente, en un pueblo donde las fuentes funcionan con parquedad y solo a ciertas horas, lo detuvieron. No pudiéndosele aplicar chorros de agua potentes que, golpeando en los anillos de la columna vertebral, habrían sido el único tratamiento eficaz para domar el insomnio y devolverle la calma, des Esseintes se vio reducido a recibir cortas aspersiones en su bañera o en su ducha, a las simples abluciones frías, seguidas de enérgicas friegas practicadas, con la ayuda de un guante de esparto, por su criado.

Pero estas pseudoduchas no detenían en absoluto el avance de la neurosis; a lo sumo sentía alivio unas pocas horas, y lo pagaba caro, pues los ataques volvían a la carga, más violentos y más agudos.

Su tedio no tenía límite; la alegría de poseer floraciones asombrosas se había agotado; ya estaba hastiado de su textura y de sus matices. Además, a pesar de los cuidados que les prodigaba, la mayoría de las plantas se marchitaron. Mandó retirarlas de sus habitaciones y, tras llegar a un estado de excitabilidad extrema, se irritó, con la vista herida por el vacío de los lugares que ocupaban, por no verlas más.

Para distraerse y matar el tiempo interminable, recurrió a sus carpetas de grabados y ordenó sus Goyas. Los primeros grabados de ciertas planchas de los *Caprichos,* pruebas reconocibles por su tono rojizo, compradas antaño en subastas a precio de oro, lo alegraron y se sumergió en ellos, siguiendo las fantasías del pintor, enamorado de sus escenas vertiginosas, de sus brujas cabalgando gatos, de sus mujeres esforzándose en arrancar los dientes de un ahorcado, de sus bandidos, de sus súcubos, de sus demonios y de sus enanos.

Luego recorrió las demás series de sus aguafuertes y de sus aguatintas, sus *Proverbios,* de un horror tan macabro, sus *Desastres de la guerra,* de una furia tan feroz, su plancha de *El garrote,* en fin, de la que mimaba una maravillosa prueba de ensayo, impresa en papel grueso, no encolado, con los visibles puntizones atravesando la pasta.

La fantasía salvaje, el talento áspero, desesperado, de Goya lo cautivaban; pero la admiración universal que sus obras habían conquistado le afectaba, sin embargo, un poco, y había renunciado, hacía años, a enmarcarlas por miedo a que, al ponerlas en evidencia, el primer imbécil que pasara por allí sintiera la necesidad de soltar tonterías y de extasiarse, de un modo completamente aprendido, delante de ellas.

Lo mismo ocurría con sus Rembrandts, que examinaba, de vez en cuando, a escondidas. Y es que, si la melodía más hermosa del mundo se vuelve vulgar e insoportable en cuanto el público la tararea, en cuanto los organilleros se apoderan de ella, la obra de arte que no permanece indiferente a los falsos artistas, que no es discutida por los necios, que no se conforma con suscitar el entusiasmo de unos pocos, se vuelve, por eso mismo, contaminada, banal, casi repulsiva para los iniciados.

Esa promiscuidad en la admiración era, además, uno de los mayores pesares de su vida. Éxitos incomprensibles le habían arruinado para siempre cuadros y libros que antes le eran queridos: ante las opiniones favorables generalizadas, acababa descubriéndoles defectos imperceptibles, y los rechazaba, preguntándose si su olfato no se estaría embotando, no se estaría engañando.

Cerró sus carpetas y, una vez más, cayó, desorientado, en el *spleen*. Para cambiar el curso de sus pensamientos, intentó lecturas tranquilizantes, probó, para airear su cerebro, con solanáceas del arte, leyó esos libros tan encantadores para los convalecientes y los incómodos, a los que obras más tónicas o más ricas en fosfatos cansarían: las novelas de Dickens.

Pero estos volúmenes produjeron un efecto contrario al esperado: esos castos enamorados, esas heroínas protestantes, vestidas hasta el cuello, se amaban entre las estrellas, se limitaban a bajar los ojos, a ruborizarse, a llorar de felicidad, apretándose las manos. Inmediatamente, esa exageración de pureza lo lanzó al extremo opuesto: en virtud de la ley del péndulo, pasó de un extremo al otro, recordó escenas vibrantes y escabrosas, pensó en las prácticas humanas de las parejas, en los besos mezclados, en los besos columbinos, como los llama el pudor eclesiástico cuando van más allá de los labios.

Interrumpió la lectura, reflexionó, lejos de la mojigata Inglaterra, sobre las travesuras libertinas, sobre los preparativos lascivos que la Iglesia condena. Sufrió una conmoción: la anafrodisia de su cerebro y de su cuerpo, que había creído definitiva, se disipó. La soledad contribuyó de nuevo a desquiciarle los nervios; una vez más se obsesionó no con la religión misma, sino con la malignidad de los actos y pecados que ella condena. El tema habitual de sus plegarias y sus amenazas lo absorbió. Su faceta carnal, insensible desde hacía meses, primero sacudida por la irritación de las lecturas piadosas y luego despertada, puesta en pie, en una crisis de nervios, por el pudoroso y moralizante inglés, se levantó. Y, como la estimulación de sus sentidos lo condujo al pasado, se hundió en el recuerdo de sus viejos lodazales.

Se levantó y, melancólicamente, abrió una pequeña caja de plata dorada con la tapa sembrada de aventurinas.

Estaba llena de caramelos violeta; cogió uno y lo palpó, pensando en las extrañas propiedades de ese caramelo glaseado, como recubierto de azúcar. Antaño, cuando su impotencia estaba confirmada, también cuando pensaba, sin amargura, sin arrepentimientos, sin nuevos deseos, en la mujer, se ponía uno de esos caramelos en la lengua, lo dejaba fundirse y, al momento, le venían al pensamiento, con una dulzura infinita, recuerdos muy desvaídos, muy lánguidos de las antiguas obscenidades.

Estos caramelos, inventados por Siraudin y designados con el ridículo nombre de «perlas de los Pirineos», eran una gota de perfume de *Sarcanthus*, una gota de esencia femenina, cristalizada en un pedazo de azúcar; despertaban las papilas gustativas, evocaban recuerdos de agua opalizada con vinagres raros, de besos muy profundos, todo impregnados de olores.

Por lo general, sonreía, oliendo ese aroma amoroso, esa sombra de caricias que le abría un rincón de desnudez en el cerebro y reavivaba, por un segundo, el gusto, antaño encantador, por ciertas mujeres. Hoy, los caramelos ya no actuaban en sordina, no se limitaban a avivar la imagen de desórdenes lejanos y confusos; al contrario, rasgaban los velos, arrojaban ante sus ojos la realidad corpórea, apremiante y brutal.

Una de ellas, que iba en cabeza del desfile de amantes que el sabor de ese caramelo ayudaba a dibujar con rasgos precisos, se detuvo, mostrando unos dientes largos y blancos, una piel satinada, todo rosada, una nariz tallada a bisel, ojos de ratón, cabello cortado a lo perro[50] y rubio.

Era miss Urania, una americana con un cuerpo bien proporcionado, piernas nerviosas, músculos de acero, brazos de hierro.

Había sido una de las acróbatas más renombradas del circo.

Des Esseintes la había observado atentamente durante largas veladas. Al principio, se le había presentado tal cual era, es decir, robusta y hermosa, pero el deseo de acercarse a ella no lo atenazaba; no tenía nada que pudiera anhelar un hombre hastiado. Sin embargo, volvió al circo, atraído por algo indefinible, impulsado por un sentimiento difícil de precisar.

Poco a poco, mientras la observaba, surgieron extraños pensamientos. A medida que admiraba su flexibilidad y su fuerza, observaba en ella un artificial cambio de sexo. Sus graciosas monerías, sus dulzuras femeninas se desvanecían cada vez más, mientras, en su lugar, se desarrollaban los encantos ágiles y poderosos de un varón.

---

[50] Corte de pelo con un gran flequillo hasta los ojos. Este corte de pelo se puso de moda en 1884 en Francia y puede verse en diferentes cuadros de la época.

En resumen, después de haber sido mujer al principio, y tras haber dudado, tras haber rozado lo andrógino, parecía resolverse, definirse, convertirse completamente en un hombre.

«Entonces –se decía des Esseintes–, de la misma manera que un hombre robusto se enamora de una chica frágil, esta payasa tiene que amar, por su naturaleza, a una criatura débil, sometida, parecida a mí, sin aliento.»

Al mirarse, al dejar actuar el espíritu de comparación, llegó a tener la impresión de que él mismo se feminizaba, y deseó fervientemente poseer a esa mujer, anhelando, como una niña anémica, al rudo Hércules cuyos brazos podían aplastarla en un abrazo.

Este intercambio de sexo entre miss Urania y él lo exaltó.

–Estamos destinados el uno al otro –aseguraba.

A esta súbita admiración por la fuerza bruta, hasta entonces aborrecida, se unió finalmente el exorbitante atractivo del fango, de la baja prostitución, feliz de pagar caro las groseras ternuras de un rufián.

Mientras se decidía a seducir a la acróbata, a entrar, si fuera posible, en la realidad misma, confirmaba sus sueños poniendo sus propios pensamientos en los labios inconscientes de la mujer, releyendo en ellos sus propias intenciones, que colocaba en la sonrisa inmutable y fija de la volatinera girando en su trapecio.

Un buen día, se resolvió a despachar a las acomodadoras. Miss Urania consideró necesario no ceder sin un cortejo previo; no obstante, se mostró poco arisca, sabiendo por las habladurías que des Esseintes era rico y que su nombre ayudaba a lanzar a las mujeres.

Pero, en cuanto sus deseos se cumplieron, su desilusión superó todos los límites. Se había imaginado a la americana estúpida y bestial, como un luchador de feria, pero su estupidez era, por desgracia, completamente femenina. Ciertamente, carecía de educación y de tacto, no tenía ni sentido común ni ingenio, y mostraba un apetito animal en la mesa. Pero todos los sentimientos infantiles de la mujer estaban presentes en ella: tenía la cháchara y la coquetería de las chicas que se encaprichan de tonterías. Las ideas masculinas no se habían mudado a su cuerpo de mujer.

Con todo esto, tenía una reserva puritana en la cama y carecía de las brutalidades de atleta que él deseaba, aun temiéndolas. Tampoco estaba sujeta, como por un momento había esperado, a las perturbaciones de su sexo. Des Esseintes, de haber sondeado atentamente el vacío de sus anhelos, tal vez habría vislumbrado en él una inclinación hacia un ser delicado y frágil, hacia un temperamento completamente contrario al suyo, pero entonces habría descubierto una preferencia no por una jovencita, sino por un alegre granujilla, por un payaso cómico y flaco.

Fatalmente, retomó su papel de hombre, momentáneamente olvidado; sus impresiones de feminidad, de debilidad, de casi protección comprada, de miedo, incluso, desaparecieron; la ilusión ya no era posible. Miss Urania era una amante ordinaria, que no justificaba en modo alguno la curiosidad racional que había despertado.

El encanto de su carne fresca, de su magnífica belleza, que había sorprendido y atrapado a des Esseintes al principio, se esfumó y rápidamente buscó evitar esta relación, precipitó la ruptura, pues su precoz impotencia se agravaba con las frías ternuras, con el recato pudoroso de aquella mujer.

Y, sin embargo, ella era la primera en detenerse ante el incesante apremio de estas lujurias. En el fondo, si se había grabado en su memoria con más fuerza que multitud de amantes con atractivos menos falaces y placeres menos limitados, se debía a su fragancia de animal sano y vigoroso. La exuberancia de su salud era exactamente lo contrario de esa anemia suya trabajada con perfumes, cuyo fino aroma él encontraba en el delicado caramelo de Siraudin.

Como una antítesis llena de fragancia, miss Urania se imponía fatalmente en su recuerdo, pero casi de inmediato des Esseintes, golpeado por este inesperado aroma natural y bruto, volvía a las inclinaciones civilizadas y pensaba inevitablemente en sus otras amantes, que se agolpaban, en tropel, en su cerebro. Sobre todas ellas se alzaba ahora la mujer cuya monstruosidad tanto lo había satisfecho durante meses.

Era una morena pequeña y seca, de ojos negros, cabello engrasado, pegado a la cabeza, como con un pincel, dividido por una raya de chico, cerca de una sien. La había conocido en un café concierto, donde actuaba como ventrílocua.

Para asombro de una multitud a la que estos ejercicios inquietaban, hacía hablar, por turno, a niños de cartón, dispuestos en fila sobre sillas, y conversaba con maniquíes casi vivos mientras, en la misma sala, zumbaban moscas alrededor de las arañas y se oía el susurro del silencioso público, que se sorprendía de estar sentado y se retrepaba instintivamente en sus asientos, cuando el rodar de coches imaginarios lo rozaba, al pasar, desde la entrada hasta el escenario.

Des Esseintes había quedado fascinado. Germinó en él un cúmulo de ideas e inmediatamente se apresuró a conquistar, a golpe de billetes de banco, a la ventrílocua, que le atraía por el contraste que guardaba con la americana. Esta morenita exudaba perfumes sofisticados, malsanos y embriagadores, y ardía como un cráter. A pesar de todos sus subterfugios, des Esseintes se agotó en pocas horas. Sin embargo, consintió en dejarse desplumar por ella con complacencia, pues, más que la amante, le atraía la novedad.

Además, los planes que se había trazado habían madurado. Resolvió llevar a término proyectos hasta entonces irrealizables.

Una noche mandó llevar a casa de la comediante una pequeña esfinge de mármol negro, tumbada en la pose clásica, con las patas extendidas y la cabeza rígida y erguida, y una quimera, de terracota policromada, con una melena erizada, ojos feroces y una cola que azotaba sus flancos hinchados como fuelles de fragua. Colocó estos monstruos uno en cada extremo de la habitación y apagó las lámparas, dejando que las brasas brillaran en el hogar e iluminaran vagamente la estancia, agrandando los objetos casi sumidos en la sombra.

Luego, se tendió en un canapé, cerca de la mujer, a cuya figura inmóvil alcanzaba el resplandor de un tizón, y esperó.

Con extrañas entonaciones que él le había mandado repetir larga y pacientemente de antemano, ella animó, sin siquiera mover los labios, sin siquiera mirarlos, a los dos monstruos.

Y, en el silencio de la noche, el admirable diálogo de la quimera y la esfinge comenzó, recitado por voces guturales y profundas, roncas, luego agudas, casi sobrehumanas.

–Alto, quimera, detente.

–No; nunca.

Arrullado por la admirable prosa de Flaubert, escuchaba, jadeante, el terrible dúo. Unos escalofríos le recorrieron, de la nuca a los pies, cuando la quimera pronunció la solemne y mágica frase:

–Busco perfumes nuevos, flores más espléndidas, placeres no experimentados[51].

¡Ah! Era a él mismo a quien esa voz, misteriosa como un conjuro, se dirigía; era a él a quien le hablaba de su fiebre por lo desconocido, de su ideal insatisfecho, de su necesidad de escapar a la horrible realidad de la existencia, de cruzar los confines del pensamiento, de tantear, sin llegar jamás a una certeza, en las brumas más allá del arte.

La miseria de sus propios esfuerzos le oprimió el corazón. Estrechaba suavemente a la mujer, silenciosa a su lado, refugiándose en ella como un niño desconsolado, sin reparar siquiera en el aire

---

[51] El diálogo figura en *La tentación de san Antonio* (1874), de Flaubert.

hosco de la comediante, obligada a representar una escena, a ejercer su oficio, en su propia casa, en los momentos de descanso, lejos del escenario.

La relación continuó, pero pronto los desfallecimientos de des Esseintes se agravaron. La efervescencia de su cerebro no derretía ya los hielos de su cuerpo: los nervios no obedecían ya a la voluntad; las locuras pasionales de los viejos lo dominaban. Al sentirse cada vez más vacilante en sus relaciones con la mujer, recurrió a la ayuda más eficaz de las viejas e inconstantes obsesiones: el miedo.

Mientras tenía a la mujer entre sus brazos, una voz aguardentosa estalló detrás de la puerta:

–¿Abrirás? Sé bien que estás con un cliente. Espera, espera un poco, ¡puta!

Al instante, lo mismo que esos libertinos excitados por el terror de ser sorprendidos en delito flagrante al aire libre, en una orilla del Sena, en el Jardín de las Tullerías, en un urinario público o en un banco, recuperaba temporalmente sus fuerzas, se lanzaba sobre la ventrílocua, cuya voz seguía resonando fuera de la habitación, y experimentaba alegrías inauditas en aquella violencia, en ese pánico del hombre corriendo un peligro, interrumpido, apresurado en su inmundicia.

Desafortunadamente, esas sesiones duraron poco; a pesar de los precios exagerados que le pagaba, la ventrílocua lo despidió y, esa misma noche, se ofreció a un hombre cuyas exigencias eran menos complicadas y sus riñones más firmes.

A esa mujer la había extrañado y, al recordar sus artificios, las otras le parecían carentes de sabor: el desprecio por sus monótonas muecas creció tanto que no estaba ya dispuesto a soportarlas. Incluso las gracias podridas de la infancia le parecían insípidas.[52]

[52] La frase sugiere pedofilia en des Esseintes.

Solo, rumiando su disgusto, un día que paseaba por la avenida de Latourg-Maubourg, se le acercó, cerca de los Inválidos, un joven que le preguntó por el camino más corto para llegar a la calle Babylone. Des Esseintes se lo indicó y, como también cruzaba la explanada, caminaron juntos.

La voz del joven insistía, de manera inesperada, para obtener más información:

–Entonces, ¿cree usted que tomando a la izquierda sería más largo? –preguntó con voz a la vez suplicante y tímida, muy baja y suave–. Es que me han dicho que desviándome por la avenida llegaría antes.

Des Esseintes lo miró. Parecía haberse escapado del colegio, iba pobremente vestido con una chaquetilla de cheviot que le ceñía las caderas, apenas cubriendo la parte baja de la espalda, unos pantalones negros ajustados, un cuello vuelto, abierto para alojar una corbata[53] abullonada, azul oscuro con rayitas blancas, estilo La Vallière[54]. Llevaba en la mano un libro de clase encuadernado en cartón e iba tocado con un bombín marrón de bordes planos.

El rostro era inquietante. Pálido y delicado, bastante regular bajo los largos cabellos negros, estaba iluminado por grandes ojos húmedos, con párpados rodeados de azul, cerca de una nariz punteada de oro por algunas pecas bajo la que se abría una boca pequeña, bordeada de gruesos labios cortados en el medio por una raya, como una cereza.

Se miraron fijamente un instante, frente a frente; luego el joven bajó los ojos y se acercó; su brazo rozó enseguida el de des Esseintes, que aminoró el paso observando, pensativo, el contoneo de los andares del joven.

---

[53] No se trata de la corbata actual sino de un pañuelo de cuello.

[54] Pañuelo de cuello corto, llevado por los artistas de la segunda mitad del siglo XIX.

Y, del azar de ese encuentro, nació una desconfiada amistad que se prolongó durante meses. Des Esseintes no pensaba en ello sin estremecerse; nunca había tolerado una más atractiva e imperiosa sumisión; nunca había conocido peligros semejantes, nunca, tampoco, se había sentido más dolorosamente satisfecho.

Entre los recuerdos que lo asediaban en su soledad, aquel de ese mutuo apego dominaba sobre los demás. Toda la levadura de extravío que puede contener un cerebro sobreexcitado por la neurosis fermentaba; y, al complacerse así en esos recuerdos, en una delectación morosa, como llama la teología a ese recrearse en viejas infamias, añadía a las visiones físicas ardores espirituales, fustigados por las antiguas lecturas de casuistas como Busembaum, Diana, Liguori y Sánchez, que trataban de los pecados contra los mandamientos sexto y noveno del Decálogo[55].

La religión, al infundir un ideal extrahumano en esa alma a la que había bañado y a la que una herencia que databa del reinado de Enrique III quizá predisponía, había despertado el ilegítimo ideal de los placeres. Las obsesiones libertinas y místicas rondaban conjuntamente su cerebro, alterado por un obstinado deseo de escapar a las vulgaridades del mundo, de hundirse, lejos de los usos venerados, en originales éxtasis, en crisis celestes o malditas, igualmente nocivas por las pérdidas de fósforo que arrastran.

Ahora, salía de esos ensueños aniquilado, roto, casi moribundo, y encendía al instante velas y lámparas, inundándose de claridad, creyendo oír así, menos distintamente que en la sombra, el ruido sordo, persistente, intolerable, de las arterias, que latían, con golpes redoblados, bajo la piel del cuello.

[55] Respectivamente, «No cometerás adulterio» y «No codiciarás la casa de tu prójimo, ni codiciarás la mujer de tu prójimo, ni su siervo, ni su sierva» en las formulaciones del Éxodo y del Deuteronomio.

Capítulo X

Durante esta singular enfermedad, que arrasa las razas con la sangre debilitada al límite, las calmas súbitas suceden a las crisis. Sin razón aparente, des Esseintes se despertó una hermosa mañana todo saludable: sin más toses arrancadas de raíz, sin más cuñas incrustadas a golpes de maza en la nuca. Todo lo contrario: con una sensación inefable de bienestar, con una ligereza de mente en la que las ideas se aclaran y de opacas e imprecisas pasan a fluidas e irisadas, como burbujas de jabón de delicados matices.

Este estado duró unos días; luego, de repente una tarde, aparecieron las alucinaciones del olfato.

Su habitación olía a franchipán[56]. Comprobó si había algún tarro abierto: no lo había. Pasó a su estudio, luego al comedor: el olor persistía.

Llamó a su criado:

–¿No hueles nada? –dijo. El criado aspiró una bocanada de aire y declaró no oler nada. No había duda; la neurosis volvía, una vez más, bajo la apariencia de una nueva ilusión de los sentidos.

Fatigado por la tenacidad de este imaginario aroma, resolvió sumergirse en perfumes verdaderos. Esperaba que esa homeopatía nasal lo curaría o al menos reduciría la persistencia del fastidioso franchipán.

---

[56] Perfume de olor fuerte creado por el italiano Frangipani, compuesto de polvo de iris (obtenido de los rizomas secos de iris, especie de lirio), almizcle y algalia.

Se fue al cuarto de aseo. Allí, junto a una antigua pila bautismal que le servía de palangana, se alineaban frascos de todos los tamaños y todas las formas en estantes de marfil, bajo un largo espejo con un marco de hierro forjado que, como un brocal plateado de luna, rodeaba el agua verde y como muerta del cristal.

Los colocó en una mesa y los dividió en dos series: la de los perfumes simples, es decir, las esencias o destilados[57], y la de los compuestos, designados con el término genérico de perfumes o buqués[58].

Se hundió en un sillón y se recogió.

Era, desde hacía años, experto en la ciencia del olfato. Pensaba que el olfato podía experimentar goces iguales a los del oído y la vista, y que cada sentido era capaz, si se cuenta con una disposición natural y una cultura erudita, de percibir nuevas impresiones, de decuplicarlas, de coordinarlas, de componer con ellas ese todo que constituye una obra. Y no tenía, en suma, por qué ser más anormal la existencia de un arte que libera fluidos fragantes que la de otros que liberan ondas sonoras o golpean con rayos diversamente coloreados la retina del ojo. Solo que, si nadie puede distinguir, sin una intuición particular desarrollada por el estudio, una pintura de un gran maestro de un adefesio, un aire de Beethoven de un aire de Clapisson[59], nadie puede, tampoco, sin una iniciación previa, evitar confundir, a primera vista, un perfume creado por un artista sincero con un popurrí fabricado por un industrial para la venta en tiendas y bazares.

---

[57] *Esprit* en el original: líquido obtenido por la maceración de sustancias aromáticas vegetales o animales en alcohol, que luego se destila y se utiliza principalmente como medicamento.

[58] En el campo olfativo, aroma que desprende un vino o licor y, por extensión, perfume de cualquier naturaleza. Huysmans utiliza frecuentemente este término.

[59] Louis Clapisson (1808-1866), compositor fácil, aunque académico, elegido en 1854 miembro de la Academia de Bellas Artes, en París, teniendo como competidor a Berlioz.

En este arte de los perfumes, había un aspecto que, entre todos, lo había seducido: el de la precisión lograda en la elaboración de perfumes artificiales.

Casi nunca, de hecho, los perfumes provienen de las flores cuyo nombre llevan; el artista que osara tomar sus elementos únicamente de la naturaleza no produciría más que una obra bastarda, sin verdad, sin estilo, ya que la esencia obtenida por la destilación de las flores no podría ofrecer más que una analogía muy lejana y vulgar con el aroma de la flor viva cuando esparce sus efluvios en plena naturaleza.

Así, con la excepción del inimitable jazmín, que no admite ninguna falsificación, ninguna similitud, y que rechaza hasta los parecidos, todas las flores están exactamente representadas por alianzas de alcoholatos y destilados, robando al modelo su propia personalidad y añadiendo ese algo, ese tono extra, ese punto embriagador, ese toque raro que define una obra de arte.

En resumen, en perfumería, el artista completa el aroma inicial de la naturaleza, de la que extrae la esencia, y lo mejora, como un joyero purifica la limpidez de una piedra y aumenta su valor.

Poco a poco, se le habían abierto a des Esseintes los arcanos de este arte, el más descuidado de todos, y descifraba ahora esta lengua, variada y tan insinuante como la literatura, y este estilo, de una concisión increíble bajo su apariencia flotante y vaga.

Para ello, primero tuvo que dedicarse a la gramática, comprender la sintaxis de los olores, penetrar a fondo las reglas que los rigen y, una vez familiarizado con este dialecto, comparar las obras de los maestros, de los Atkinson y los Lubin, de los Chardin y los Violet, de los Legrand y de los Piesse[60], desmontar el andamio de

[60] George William Septimus Piesse (1820-1882), autor del tratado *Des odeurs, des par-*

sus frases, pesar la proporción de sus palabras y la composición de sus períodos.

Además, en este idioma de los olores, la experiencia debía respaldar las teorías, demasiado a menudo incompletas y banales.

La perfumería clásica estaba, de hecho, poco diversificada, era casi incolora, uniformemente modelada en una matriz creada por antiguos químicos. Se repetía, confinada en sus viejos alambiques, cuando el período romántico, floreciente, la modificó, haciéndola más joven, más maleable, más flexible.

Su historia seguía, paso a paso, la de nuestra lengua. El estilo Luis XIII de perfumes, compuesto de los elementos queridos de la época –polvo de iris, almizcle, algalia y agua de mirto, ya conocida con el nombre de agua de los ángeles–, apenas era suficiente para expresar las gracias galantes, los tonos un poco crudos del momento que nos han transmitido algunos de los sonetos de Saint-Amant. Más tarde, con la mirra, el olíbano y los olores místicos, poderosos y austeros, se hicieron casi posibles la pomposa elegancia del gran siglo, los artificios redundantes del arte oratorio, el estilo amplio, sostenido, prolijo, de Bossuet[61] y de los maestros del púlpito. Más tarde aún, las gracias desgastadas y sabias de la sociedad francesa en el reinado de Luis XV encontraron más fácilmente su intérprete en el franchipán y el marechal[62], que en cierto modo dieron la síntesis de esa época. Posteriormente, tras el aburrimiento y la falta de curiosidad del Primer Imperio, que abusó de las aguas de Colonia y de las preparaciones de romero, la perfumería se lanzó, tras Victor Hugo y Gautier, hacia los países

---

fums et des cosmétiques, obra que el autor toma como referencia para sus descripciones en este capítulo.

[61] Jacques-Bénigne Lignel Bossuet (1627-1704), clérigo, predicador, filósofo e intelectual francés, defensor de la teoría del origen divino del poder para justificar el absolutismo de Luis XIV.

[62] Polvo oloroso citado en la obra de Piesse.

del sol: creó perfumes orientales, selams[63] fulgurantes de especias, descubrió tonalidades nuevas, antítesis hasta entonces insólitas, seleccionó y retomó antiguos matices, que complicó, sutilizó y combinó para rechazar, final y resueltamente, esa decrepitud voluntaria a la que la habían reducido los Malesherbes, los Boileau, los Andrieux, los Baour-Lormian, los vulgares destiladores de poemas.

Pero, tras el decenio de 1830, esta lengua no había quedado estancada. Había evolucionado y, moldeándose con el transcurrir del siglo, había avanzado de modo semejante a las otras artes. Ella también se había plegado a los deseos de los consumidores y los artistas, lanzándose sobre el chino y el japonés[64], imaginando álbumes olorosos, imitando los ramilletes de flores de Takeoka, obteniendo el olor de la *Rondeletia* con alianzas de lavanda y clavo, consiguiendo el aroma singular de la tinta china con una combinación de pachulí y alcanfor, y las emanaciones de *Hovenia* de Japón con compuestos de limón, clavo y nerolí.

Des Esseintes estudiaba, analizaba el alma de estos efluvios, hacía la exégesis de estos textos; se complacía en desempeñar, para su satisfacción personal, el papel de un psicólogo, desmontando y volviendo a montar los mecanismos de una creación, desatornillando las piezas que forman la estructura de un perfume compuesto, y, en este ejercicio, su olfato había llegado a alcanzar la seguridad de una precisión casi impecable.

Del mismo modo que un comerciante en vinos reconoce un caldo al oler una gota y un vendedor de lúpulo determina inmediatamente el valor exacto de un saco solo con olerlo; igual que un comerciante chino puede adivinar de inmediato el origen de los

[63] Ramillete de flores cuya disposición, precisa, tiene un significado simbólico en Oriente Medio.

[64] Se entiende que son los idiomas de los olores en China y Japón.

tés que está oliendo, decir en qué granjas de los montes Wuyi y en qué conventos budistas fue cultivado y la época en que se recogieron sus hojas, precisar el grado de tueste y la influencia experimentada por la proximidad de las flores del ciruelo, de la *Aglaia,* del *Olea fragrans,* y de todos esos perfumes que sirven para modificar su naturaleza añadiendo un matiz inesperado, introduciendo en su aroma, quizá un poco seco, un dejo de flores lejanas y frescas; de igual manera, insistimos, des Esseintes podía, al respirar un leve aroma, decir de inmediato las dosis de su mezcla, explicar la psicología de su combinación, casi citar el nombre del artista que lo había creado y le había imprimido la marca personal de su estilo.

Ni que decir tiene que poseía la colección de todos los productos empleados por los perfumistas; incluso tenía bálsamo auténtico de La Meca, ese bálsamo tan raro que solo se cosecha en ciertas partes de Arabia Pétrea[65] y cuyo monopolio pertenece al Gran Señor[66].

Sentado ahora en su cuarto de aseo, delante de una mesa, proyectaba crear un nuevo perfume y se encontraba en ese momento de duda, bien conocido por los escritores que, después de meses de descanso, se disponen a empezar una nueva obra.

Al igual que Balzac, que sentía la imperiosa necesidad de llenar muchas páginas a modo de calentamiento, des Esseintes reconoció la necesidad de una puesta a punto practicando con algunos trabajos sin importancia. Queriendo fabricar heliotropo, sopesó utilizar frascos de almendra y vainilla, pero luego cambió de idea y decidió abordar el guisante de olor.

Las expresiones, los procedimientos se le escapaban. Tanteó. Concluyó que en el aroma de esta flor predomina el naranjo: in-

---

[65] Antigua provincia romana, por Petra, su principal ciudad, correspondiente a la actual Jordania y el Sinaí.

[66] Sultán otomano.

tentó varias combinaciones y, finalmente, logró el tono justo al añadir al naranjo nardo y rosa, ligados con una gota de vainilla.

Las incertidumbres se disiparon, lo agitó una ligera fiebre de trabajo y emprendió la tarea. Compuso de nuevo té, mezclando casia e iris; luego, seguro de sí mismo, se decidió a avanzar, a lanzar una frase fulminante cuyas resonancias altivas derribarían el murmullo de ese astuto franchipán que aún infectaba su habitación.

Manipuló ámbar, almizcle del Himalaya –de destellos terribles–, pachulí –el más acre de los perfumes vegetales, cuyo olor, en estado bruto, desprende efluvios de moho y óxido–. Hiciera lo que hiciera, la obsesión del siglo XVIII lo acosaba; los vestidos con miriñaque, los faralaes, giraban delante de sus ojos. En las paredes se instalaban recuerdos de las *Venus* de Boucher[67], todo carne, sin huesos, rellenas de algodón rosado. Lo perseguían recuerdos de la novela *Thémidore*[68], de la exquisita Rosette, con su falda color fuego recogida. Se levantó, furioso, y, para liberarse, inhaló con todas sus fuerzas esa esencia pura de espicanardo, tan querida por los orientales y tan desagradable para los europeos, debido a su olor demasiado fuerte a valeriana. Quedó aturdido por la violencia del choque; como machacadas por un martillazo, las filigranas del delicado aroma desaparecieron. Aprovechó este tiempo de respiro para escapar de los siglos pasados, de los vapores anticuados, para entrar, como solía, en obras menos restringidas o más nuevas.

Antaño le gustaba mecerse con acordes de perfumería. Utilizaba efectos análogos a los de los poetas, empleaba, en cierta medida, el admirable orden de algunas piezas de Baudelaire, como *Lo*

[67] François Boucher (1703-1770), pintor francés, de estilo galante, propio de la época rococó. Varias de sus obras están dedicadas a la diosa Venus.

[68] Novela libertina de Claude Godard d'Aucour editada en Ámsterdam en 1745 como anónima.

irreparable y *El balcón,* donde el último de los cinco versos que componen la estrofa es el eco del primero, que vuelve, como un estribillo, para sumergir el alma en un infinito de melancolía y languidez.

Se extraviaba en los sueños que le evocaban esas estrofas aromáticas, devuelto súbitamente al punto de partida, al motivo de su meditación, por el retorno del tema inicial, que reaparecía, a intervalos bien medidos, en la olorosa orquestación del poema.

Quería ahora vagar por un paisaje sorprendente y variable, y comenzó con una frase sonora, amplia, que abría, de repente, una perspectiva de campo inmenso.

Con sus vaporizadores, inyectó en la estancia una esencia formada por ambrosía, lavanda de Mitcham, guisante de olor y bouqué[69], una esencia que, cuando es destilada por un artista, merece el nombre que se le otorga: «Extracto de pradera florida». Luego introdujo en esta pradera una fusión precisa de tuberosa, flor de naranjo y de almendro; y de inmediato nacieron lilas artificiales, mientras los tilos se agitaban dirigiendo hacia el suelo sus suaves emanaciones, que simulaban el extracto de tilo de Londres.

Una vez trazado el paisaje en sus líneas generales, que se extendía hasta perderse de vista bajo sus párpados, asperjó la habitación con una ligera lluvia de esencias humanas y casi felinas, que olían a falda y anunciaban a la mujer empolvada y maquillada: el *Estefanotis,* el *Ayapana,* la *Pánace,* la hierba de Chipre, el *Champaca* y el *Sarcanthus,* a lo que añadió un toque de seringat[70] para dar a la artificiosidad que desprendía el maquillaje un aroma natural de risas sudorosas, de alegrías agitándose a pleno sol.

---

[69] Aquí el término designa un perfume específico.

[70] También conocido como «jazmín de los poetas», es un arbusto cuyas flores desprenden un aroma parecido al de las flores del naranjo.

Luego, mediante un ventilador, ahuyentó esas ondas olorosas, quedándose solo con las que le evocaban la campiña, renovándolas y aumentando las dosis para obligarlas a repetirse como un estribillo en sus estrofas.

Las mujeres se habían ido desvaneciendo poco a poco; el campo se había quedado desierto. En su lugar, en el horizonte encantado, se alzaron fábricas, cuyas formidables chimeneas ardían en sus cimas como tazones de ponche.

Un soplo de factorías de productos químicos flotaba ahora en la brisa que levantaba con unos abanicos, aunque la naturaleza seguía exhalando, en este aire putrefacto, sus dulces efluvios.

Des Esseintes manoseaba, calentándola entre los dedos, una bolita de estoraque. Un olor muy extraño invadía el cuarto, un olor a la vez repugnante y exquisito, que recordaba el delicioso aroma del narciso y el inmundo hedor de la gutapercha y del alquitrán de hulla. Se desinfectó las manos, metió en una caja herméticamente cerrada la resina y las fábricas desaparecieron. Entonces lanzó, entre los vapores reavivados de los tilos y las praderas, unas gotas de heno recién cortado y, en medio del paisaje mágico momentáneamente despojado de sus lilas, se elevaron haces de heno, que trajeron una nueva estación sembrando el ambiente de sus sutiles emanaciones estivales.

Finalmente, cuando hubo saboreado lo suficiente el espectáculo, esparció precipitadamente perfumes exóticos, agotó sus vaporizadores, se apresuró a soltar sus esencias concentradas, liberó todos sus bálsamos y, en el tufo sofocante de la estancia, estalló una naturaleza enloquecida y sublimada que imponía sus hálitos, cargando de un delirio de alcoholatos una brisa artificial, una naturaleza no verdadera y encantadora, llena de paradojas, que mezclaba los pimientos de los trópicos, los olores picantes del sándalo de China y del *Hedyosmum* de Jamaica con los olores franceses del jazmín, el espino y la verbena, haciendo crecer, a pesar de las estaciones y los climas, árboles de esencias diversas, flores con los colores y los aromas más opuestos, creando, con la fusión y el choque de todos estos matices, un perfume general, anónimo, imprevisto, extraño, en el que reaparecía, como un estribillo obstinado, la frase decorativa del comienzo, el olor del gran prado, ventilado por lilas y tilos.

De repente, un dolor agudo lo atravesó; le pareció que un berbiquí le perforaba las sienes. Abrió los ojos, se encontró en medio del cuarto de aseo, sentado frente a la mesa; caminó penosamente, aturdido, hacia la ventana y la entreabrió. Una ráfaga de aire serenó la sofocante atmósfera que lo envolvía; paseó de un lado a otro para reafirmar sus piernas, iba y venía mirando al techo, donde cangrejos y algas espolvoreadas de sal se destacaban en relieve sobre un fondo granulado, tan rubio como la arena de una playa. Un decorado similar revestía los rodapiés, que bordeaban las paredes tapizadas con crepé japonés verde agua, un poco arrugado, simulando el rizado de un río acariciado por el viento. Y, en esta ligera corriente, nadaba el pétalo de una rosa alrededor del cual giraba una nube de pequeños peces dibujados con dos trazos de tinta.

Pero los párpados seguían pesándole; dejó de recorrer el corto espacio comprendido entre la pila bautismal y la bañera, y se apoyó en el alféizar de la ventana. Su aturdimiento cesó; volvió a tapar cuidadosamente los frascos y aprovechó la ocasión para arreglar el desorden de los maquillajes. No había tocado nada desde su llegada a Fontenay, y casi se sorprendió al ver de nuevo esa colección en otro tiempo visitada por tantas mujeres. Los frascos y los tarros se amontonaban uno sobre otro. Aquí, una caja de porcelana, de la familia verde, contenía la *schnouda,* esa maravillosa crema blanca que, una vez extendida sobre las mejillas, pasa, bajo la influencia del aire, a un rosa tierno y, finalmente, a un carmesí tan real que proporciona la ilusión exacta de una piel coloreada por la sangre. Más allá, cajas lacadas con incrustaciones de burgado contenían oro japonés y verde de Atenas, parecido al color del ala de la cantárida; oros y verdes que cambian a un púrpura profundo en cuanto se mojan. Y al lado de tarros llenos de pasta de avellana, de serkis del harén, de emulsines[71] con lirio de Cachemira, de lociones de agua de fresa y de saúco para el cutis, mezclados con pequeñas botellitas llenas de soluciones de tinta china y agua de rosas para los ojos, aparecían instrumentos de marfil, nácar, acero, plata, revueltos entre cepillos de dientes: pinzas, tijeras, depiladoras, brochas y pinceles, algodones, rascadores, lunares postizos y limas.

Manipulaba todo este material, comprado en su momento a instancias de una amante que perdía el sentido bajo la influencia de ciertos preparados y ciertos bálsamos, una mujer perturbada y nerviosa que gustaba de macerar la punta de sus senos en perfumes, pero que, realmente, solo experimentaba un delicioso y abrumador éxtasis cuando le rascaban la cabeza con un peine o podía aspirar, en medio de las caricias, el olor del hollín, del yeso de las casas en construcción en días de lluvia o del polvo salpicado por goterones de tormenta de verano.

Rumiaba estos recuerdos cuando le vino a la mente la tarde pasada en Pantin, por entretenimiento, por curiosidad, acompañado de esa mujer, en casa de una de sus hermanas, que despertó en él un mundo olvidado de viejas ideas y antiguos perfumes. Mientras las dos mujeres charlaban y se enseñaban los vestidos, él se había acercado a la ventana y, a través de los cristales polvorientos, había visto extenderse la calle, llena de barro, y oído el resonar

---

[71] Cosmético a base de jabón, aceite vegetal y perfume, que da al agua una apariencia lechosa.

de los adoquines bajo el golpeteo repetido de zuecos al pisar los charcos.

Esta escena, ya lejana, se le presentó de repente, con una vivacidad singular. Pantin estaba ahora allí, frente a él, animado, vivo, en esa agua verde y como muerta del espejo ribeteado de luna donde sus ojos inconscientes se sumergían. Una alucinación lo llevó lejos de Fontenay; el espejo le devolvió, al mismo tiempo que la calle, las reflexiones que antaño le había suscitado y, absorto en un sueño, se repitió esta ingeniosa, melancólica y consoladora antífona que había anotado al regresar a París:

–Sí, el tiempo de las grandes lluvias ha llegado; ahí están las gárgolas vomitando, cantando en las aceras, y los estercoleros, que marinan sus basuras en charcos y llenan luego, de su café con leche, los tazones excavados en el macadán. Por todas partes, los lavapiés funcionan para el humilde transeúnte.

»Bajo el cielo encapotado, en el aire blando, las paredes de las casas tienen sudores negros y sus sótanos apestan; la repugnancia de la existencia se acentúa y la melancolía arrasa. Brotan las semillas de inmundicia que cada uno tiene en el alma; necesidades de sucios desenfrenos agitan a las personas austeras y, en el cerebro de los sensatos, nacen deseos de presidiario.

»Y, sin embargo, me caliento delante de un gran fuego mientras de un cestillo de flores que está sobre la mesa se desprenden aromas de benjuí, geranio y vetiver, que llenan la habitación. En pleno mes de noviembre, en Pantin, calle de París, persiste la primavera y me río, para mis adentros, de las familias temerosas que, para evitar el frío, huyen a toda velocidad hacia Antibes o Cannes.

La inclemente naturaleza nada tiene nada que ver con este fenómeno extraordinario; solo a la industria, hay que decirlo, debe Pantin esta estación irregular.

Las flores del cestillo son de tafetán, montadas sobre alambre de latón, y el olor primaveral que se filtra por las rendijas de la ventana, se debe a las emanaciones de las fábricas de los alrededores: las perfumerías de Pinaud y Saint-James[72].

Para los artesanos, debilitados por los duros trabajos de los talleres, para los pequeños empleados, que son padres demasiado a menudo, la ilusión de un poco de aire puro es posible gracias a estas industrias.

Además, de esta fabulosa ilusión de una campiña natural, puede surgir una prescripción médica ingeniosa: a los vividores tuberculosos se los exporta al sur, donde mueren por el impacto de la brusca ruptura de sus hábitos, por la nostalgia de los excesos parisinos que los han derrotado. Aquí, bajo un falso clima ayudado por las estufas, los recuerdos libertinos renacerán, muy dulces, con las lánguidas emanaciones femeninas exhaladas por las fábricas. Mediante este subterfugio, el médico podría conseguir que su paciente sustituyera platónicamente el mortal aburrimiento de la vida provincial por la atmósfera de las casas de citas de París, con sus adorables chicas. La mayoría de las veces bastaría, para completar la cura, un poco de imaginación por parte de los pacientes.

«Puesto que en los tiempos que corren no existen sustancias sanas, ya que el vino que se bebe y la libertad que se proclama están adulterados y son ridículos, ya que hace falta, en fin, una singular dosis de buena voluntad para creer que las clases dirigentes son respetables, y las sometidas, dignas de alivio y conmiseración, no me parece –concluyó des Esseintes– ni más ridículo ni más absurdo pedir a mi prójimo una pequeña dosis de ilusión, apenas equivalente a la que dilapida diariamente en objetivos im-

[72] Pantin, localidad próxima a París, al noreste, era un lugar importante para la industria de los perfumes. Las perfumerías Pinaud y Saint-James tenían fábrica en la calle de París.

béciles, para figurarse que la ciudad de Pantin es una Niza artificial, un Menton ficticio.

»Todo esto no impide –continuó, arrancado de sus reflexiones por una debilidad de todo el cuerpo– que vaya a ser necesario desconfiar de estos deliciosos y abominables ejercicios que me machacan. –Y suspiró–: ¡En fin! Habrá que moderar más placeres y tomar más precauciones.» Y se refugió en su gabinete de trabajo, pensando que así escaparía más fácilmente a la obsesión de estos perfumes.

Abrió la ventana de par en par, feliz de tomar un baño de aire; pero, de repente, le pareció que la brisa soplaba un vago olor a esencia de bergamota mezclado con jazmín, casia y agua de rosas. Jadeó, preguntándose si no estaría definitivamente bajo el yugo de una de esas posesiones que se exorcizaban en la Edad Media. El olor persistía, pero cambió y se transformó. Un incierto olor a tintura de Tolú, a bálsamo del Perú, a azafrán, soldados con algunas gotas de ámbar y almizcle, subía ahora del pueblo, acostado al pie de la colina, y, de repente, se operó la metamorfosis: los fragmentos dispersos se unieron y, nuevamente, el franchipán, cuyos componentes había percibido su olfato y después había él analizado y preparado, subió desde el valle de Fontenay hasta el fuerte, asaltando su excesiva nariz, sacudiendo aún más sus nervios rotos, arrojándolo a una postración tal que se desplomó desmayado, casi moribundo, sobre el alféizar de la ventana.

CAPÍTULO XI

Los criados, asustados, fueron rápidamente a buscar al médico de Fontenay, que acudió enseguida pero no comprendió absolutamente nada de lo que le pasaba a des Esseintes. Balbuceó algunos términos médicos, tomó el pulso y examinó la lengua del enfermo, intentó, pero en vano, hacerle hablar, recetó calmantes y reposo, prometió volver al día siguiente y, ante una señal negativa de des Esseintes, que recuperó suficiente fuerza para criticar el celo de sus criados y despedir al intruso, se fue. Y empezó a contar por todo el pueblo las excentricidades de esa casa cuyo mobiliario lo había llenado de estupor y paralizado, nada más verlo.

Para gran asombro de los criados, que ya no se atrevían a moverse de la cocina, su amo se recuperó en unos pocos días y lo sorprendieron dando golpecitos con los dedos en las ventanas y mirando el cielo con aire inquieto.

Una tarde, los timbres sonaron con llamadas breves: des Esseintes ordenó que le prepararan las maletas para un largo viaje.

Mientras el hombre y la mujer elegían, siguiendo sus indicaciones, los objetos que podrían serle de utilidad, él recorría febrilmente la cabina del comedor, consultaba los horarios de los barcos, recorría su gabinete de trabajo, donde continuaba escrutando las nubes con un aire a la vez impaciente y satisfecho.

El tiempo era, desde hacía una semana, atroz. Por las grises llanuras del cielo rodaban, sin cesar, ríos de hollín y bloques de nubes que parecían rocas arrancadas de un suelo. De vez en cuando, estallaban aguaceros y engullían el valle bajo torrentes de lluvia.

Ese día, el firmamento había cambiado de aspecto. Los torrentes de tinta se habían volatilizado y secado, las asperezas de las nubes se habían fundido, el cielo era uniformemente plano, cubierto de una capa opaca. Poco a poco, esta capa pareció descender, una bruma acuosa envolvió el campo; la lluvia ya no caía en cataratas, como la víspera, era una lluvia fina, penetrante, aguda, que diluía los caminos y arruinaba las carreteras, uniendo con sus innumerables hilos la tierra con el cielo. La claridad se enturbió; una luz lívida iluminó el pueblo, ahora transformado en un lago de barro punteado por las agujas de agua que moteaban con gotas de plata viva el líquido fangoso de los charcos. En la desolación de la naturaleza, todos los colores se desvanecieron, dejando solo los tejados brillando sobre los tonos apagados de las paredes.

–¡Qué tiempo! –suspiró el viejo criado al poner sobre una silla la ropa que su amo había solicitado: un traje con chaleco que en otro tiempo se había encargado en Londres.

Por toda respuesta, des Esseintes se frotó las manos y se instaló frente a una biblioteca acristalada donde varios pares de calcetines de seda estaban dispuestos en abanico. Dudaba sobre el tono; luego, rápidamente, considerando la tristeza del día y el aspecto sombrío de su ropa, y pensando en el objetivo que trataba de alcanzar, eligió un par de seda de color hoja muerta; se los puso rápidamente, se calzó unos botines de broches y puntas recortadas, se puso el traje de tres piezas gris ratón, con cuadraditos gris lava y punteado de marta, se encasquetó un pequeño bombín, se envolvió en un macfarlane azul de lino y, seguido del criado, que se doblaba bajo el peso de un baúl, una maleta de fuelle, un bolso de noche, una caja de sombreros y una manta de viaje que envolvía paraguas y bastones, se dirigió a la estación. Allí le dijo al criado que no podía fijar la fecha de su regreso, que volvería dentro de un año, de un mes, de una semana, tal vez antes, ordenó que nada se cambiara de sitio en la casa, entregó la suma aproximada necesaria para el mantenimiento del hogar durante su ausencia y subió al vagón, dejando al vejete atónito, con los brazos colgando y la boca abierta, detrás de la barrera que lo separaba de las sacudidas del tren.

Estaba solo en su compartimento; un paisaje indefinido, sucio, visto como a través de un acuario de agua turbia, huía a toda velocidad detrás del convoy azotado por la lluvia. Sumido en sus pensamientos, des Esseintes cerró los ojos.

Una vez más, esa soledad, tan ardientemente deseada y finalmente adquirida, había terminado en una angustia horrible; ese silencio que antes le había parecido una compensación por las tonterías escuchadas durante años ahora le pesaba de modo insoportable: una mañana, se había despertado, agitado como un preso encerrado en su celda; sus labios nerviosos se movían para articular sonidos, las lágrimas le inundaban los ojos, se ahogaba como un hombre que hubiera sollozado durante horas.

Devorado por el deseo de caminar, de mirar una figura humana, de hablar con otro ser, de incorporarse a la vida común, llegó a retener a sus sirvientes, llamados con cualquier pretexto, pero la conversación era imposible. Además de que esas personas mayores, doblegadas por años de silencio y hábitos de enfermero, eran casi mudas, la distancia a la que siempre los había mantenido no era lo mejor para animarlos a abrir la boca. Además, sus cerebros estaban inertes y eran incapaces de responder de otra manera que no fuera con monosílabos a las preguntas que les hacía.

No pudo, por tanto, procurarse ningún recurso, ningún alivio tratándolos de cerca; pero se produjo un nuevo fenómeno. La lectura de Dickens, autor que había frecuentado anteriormente para calmar los nervios, y que no había producido los efectos higiénicos esperados, más bien al contrario, comenzó lentamente a actuar en un sentido imprevisto, proporcionándole visiones de la existencia inglesa, que rumiaba durante horas. Poco a poco, en estas contemplaciones ficticias se insinuaron ideas de realidad precisa, de viaje realizado, de sueños verificados, en los cuales se injertó el deseo de experimentar impresiones nuevas y de escapar, así, a los agotadores excesos de la mente, que acababa aturdida moliendo en vacío.

El abominable tiempo de niebla y lluvia propiciaba aún más estos pensamientos, al avivar los recuerdos de sus lecturas, al ponerle ante los ojos la imagen constante de un país de bruma y barro, al impedir que sus deseos se desviasen de su punto de partida, que se apartaran de su fuente.

No pudo soportarlo más y, de repente, un día se decidió. Su prisa fue tal que huyó mucho antes de la hora, queriendo escapar del presente, sentirse empujado en un bullicio de calle, en un estruendo de gentío y estación.

«Respiro», se decía, en el momento en que el convoy ralentizaba su vals y se detenía en la rotonda del desembarcadero de Sceaux, marcando sus últimos giros con el estruendo entrecortado de las placas giratorias[73].

Una vez en el bulevar d'Enfer[74], en la calle, llamó a un cochero. Disfrutaba estando así, enredado entre sus baúles y cobertores. Con la promesa de una propina generosa, se puso de acuerdo con el hombre de los pantalones avellana y el chaleco rojo.

[73] «Embarcadero» y «desembarcadero» designaban los lugares de las estaciones donde los viajeros subían o bajaban del tren. Al llegar a la estación, el tren se detenía en una placa giratoria para enfilar hasta el desembarcadero. La salida de la estación daba al bulevar d'Enfer.

[74] Actual bulevar Raspail, desde 1887.

–Le pagaré por horas –dijo–. Y en la calle de Rivoli, se detendrá frente al Galignani's Messenger[75].

Des Esseintes pensaba comprar, antes de su partida, una guía, Baedeker o Murray, de Londres.

El coche se puso en marcha cansinamente, levantando alrededor de sus ruedas aros de boñiga; era como navegar en pleno pantano. Bajo el cielo gris, que parecía apoyarse en el techo de las casas, las paredes chorreaban de arriba abajo; los canalones rebosaban; los adoquines estaban cubiertos de un barrillo de pan de especias en el que los transeúntes resbalaban; en las aceras, invadidas por los ómnibus, la gente, apretujada, se detenía y las mujeres, las faldas recogidas hasta las rodillas, dobladas bajo los paraguas, se pegaban a los escaparates para evitar las salpicaduras.

La lluvia entraba en diagonal por las portezuelas; des Esseintes tuvo que subir los cristales, que el agua rayaba con sus estrías, mientras gotas de lodo brillaban como fuegos artificiales a ambos lados del coche. El ruido monótono de los sacos de guisantes que el aguacero volcaba sobre su cabeza, sobre los baúles y sobre la cubierta del coche, le hacía soñar con su viaje: era un adelanto de Inglaterra lo que experimentaba en París con este tiempo horrible. Un Londres lluvioso, colosal, inmenso, apestando a hierro fundido y hollín, humeando sin cesar en la niebla, se desplegaba ahora ante sus ojos. A lo lejos se extendían filas de dársenas, llenas de grúas, cabrestantes, fardos, llenas de hombres encaramados en los mástiles, a horcajadas sobre las vergas, mientras, en los muelles, miles de otros hombres se inclinaban, con el trasero al aire, sobre barriles que empujaban hacia las bodegas.

Toda esta agitación transcurría en las orillas, en gigantescos

[75] Librería y sede del periódico del mismo nombre, que difundía noticias recogidas en la prensa inglesa.

almacenes, bañados por el agua oscura y tiñosa de un imaginario Támesis, en una arboleda de mástiles, en un bosque de vigas que atravesaban las nubes descoloridas del firmamento. Mientras tanto, unos trenes pasaban a toda velocidad dejando su melena de vapor en el cielo, y otros circulaban por el interior del alcantarillado, eructando gritos horribles, vomitando ríos de humo por las bocas de los respiraderos. Y por todos los bulevares, por todas las calles, donde estallaban, en un eterno crepúsculo, las monstruosas y llamativas infamias de la publicidad, se deslizaban riadas de coches entre columnas de transeúntes silenciosos, atareados, mirando hacia delante y con los codos pegados al cuerpo.

Des Esseintes se estremecía deliciosamente al sentirse confundido en este terrible mundo de comerciantes, en esta niebla aislante, en esta incesante actividad, en este implacable engranaje que aplasta a millones de desheredados, a quienes los filántropos incitaban, a modo de consuelo, a recitar versículos y cantar salmos.

Luego, la visión se apagó bruscamente con una sacudida del coche de punto que le hizo rebotar en el asiento. Miró por las ventanillas; la noche había caído; los faroles de gas parpadeaban, en medio de un halo amarillento, en plena niebla; cintas de luces flotaban en los charcos y parecían girar alrededor de las ruedas de los coches, que saltaban entre llamas líquidas y sucias. Intentó orientarse, vio el Carrousel y, de repente, sin motivo, tal vez por el simple rebote de la caída desde las alturas de espacios ficticios, su pensamiento retrocedió hasta el recuerdo de un incidente trivial: se acordó de que el criado había olvidado poner, mientras él le miraba preparar sus maletas, un cepillo de dientes entre los utensilios de su neceser. Repasó la lista de objetos empaquetados; todos estaban guardados en su maleta, pero la contrariedad de haber omitido ese cepillo persistió hasta que el cochero, al detenerse, rompió la cadena de estos recuerdos y lamentos.

Estaba en la calle de Rivoli, frente al Galignani's Messenger. Dos grandes vitrinas, separadas por una puerta con vidrios esmerilados, cubiertos de inscripciones y provistos de un paspartú que enmarcaba recortes de periódicos y bandas azuladas de telegramas, rebosaban de álbumes y libros. Se acercó, atraído por esas encuadernaciones en papel azul peluquero[76] y verde repollo, repujadas, en todas las costuras, con rameados de plata y oro, y por esas cubiertas en telas color marrón carmelita, puerro, caca de oca o grosella, estampadas al frío, en las tapas y el lomo, con fileteados negros. Todo tenía un toque antiparisino, un aire mercantil, más chocante y sin embargo menos vil que las encuadernaciones baratas de Francia. Aquí y allá, en medio de álbumes abiertos que reproducían escenas humorísticas de du Maurier y de John Leech, o lanzaban a través de tiras de cromos las delirantes cabalgadas de Caldecott[77], aparecían algunas novelas francesas, añadiendo a esos colores agraces, vulgaridades benignas y satisfechas.

Finalmente, empujó la puerta, entró en una vasta biblioteca llena de gente: extranjeras sentadas desplegaban mapas y farfullaban comentarios, en lenguas desconocidas. Un empleado le trajo una colección de guías. Se sentó, hojeando esos libros cuyas flexibles encuadernaciones se le doblaban entre los dedos. Los recorrió, se detuvo en una página de la Baedeker, que describía los museos de Londres. Le interesaban los detalles lacónicos y precisos de la guía; pero su atención se desvió de la pintura inglesa antigua hacia la nueva, que le atraía más. Recordaba ciertos ejemplares que había visto en exposiciones internacionales y pensaba que quizá los volvería a ver en Londres: cuadros de Millais, como *La vigilia de*

---

[76] Azul de una intensidad excesiva.

[77] George du Maurier (1834-1896) y John Leech (1807-1864), ilustradores y caricaturistas victorianos. Randolf Caldecott (1846-1886), también ilustrador, especialmente de libros infantiles.

santa Inés, de un verde plateado tan lunar; cuadros de Watts[78], con colores extraños, abigarrados de gomorresina y añil; cuadros esbozados por un Gustave Moreau enfermo, que parecían pintados por un Miguel Ángel anémico y retocados por un Rafael ahogado en azul. Entre otros lienzos, recordaba una *Denuncia de Caín,* una *Ida* y unas *Evas* en los que, en la singular y misteriosa amalgama de estos tres maestros, surgía la personalidad, a la vez quintesenciada y sin matices, de un inglés docto y soñador, atormentado por obsesiones de tonos atroces.

Todas estas pinturas asaltaban atropelladamente su memoria. El dependiente, sorprendido por este cliente que se perdía en sus pensamientos frente a una mesa, le preguntó cuál de las guías había elegido. Des Esseintes seguía embobado; luego se disculpó, compró una Baedeker y salió por la puerta. La humedad lo heló; el viento soplaba de lado, azotando los arcos con sus látigos de lluvia.

–Vaya allí –le dijo al cochero, señalando con el dedo el final de una galería, una tienda que hacía esquina con la calle de Rivoli y la de Castiglione y que, con sus cristales blanquecinos y la iluminación interior, parecía una gigantesca lámpara de noche, ardiendo en la incomodidad de esa niebla, en la miseria de ese tiempo enfermizo.

Era la Bodéga[79]. Des Esseintes se perdió en una gran sala que se alargaba en forma de pasillo, sostenida por columnas de hierro, con los muros de ambos lados revestidos de altos toneles colocados verticalmente sobre tarimas.

Fajados con hierro, la panza adornada con salientes de madera

[78] George Frederick Watts (1817-1904), pintor contemporáneo de los prerrafaelitas, a los que pertenecía John Everett Millais (1829-1896), pero más asociado al simbolismo.

[79] Tienda inglesa, desaparecida a principios del siglo XX, en la que se degustaban vinos españoles y portugueses.

simulando una dentadura de cuyos intersticios colgaban vasos en forma de tulipán con el pie hacia arriba, y con el bajo vientre perforado y provisto de una espita de gres, estos toneles, blasonados con un escudo real, mostraban en etiquetas de colores el nombre de su viñedo de origen, su capacidad, el precio de su vino, vendido por toneles, por botellas, o degustado en copa.

En el pasillo que quedaba libre entre las dos filas de toneles, bajo las llamas del gas que zumbaba en las bocas de una horrible araña pintada de gris hierro, se sucedían, entre dos hileras de sillas, mesas cubiertas de cestillos de galletas Palmers, pastelillos salados y secos, platos donde se apilaban bocaditos de paté y sándwiches que ocultaban, bajo sus insípidas envolturas, ardientes sinapismos de mostaza. La hilera de sillas llegaba hasta el fondo de la bodega, también allí revestida de toneles nuevos[80], que llevaban en su parte superior barriles, horizontales, estampados con títulos grabados a fuego en la madera de roble.

Un olor a alcohol invadió a des Esseintes cuando se sentó en esta sala donde dormían poderosos vinos. Miró a su alrededor: aquí, se alineaban los toneles, detallando toda la serie de los *portos,* ásperos o afrutados, de color caoba o amaranto, distinguidos con epítetos laudatorios: *old port, light delicate, cockburn's very fine, magnificent old Regina;* más allá, hinchando sus formidables abdómenes, se apretujaban, codo con codo, enormes toneles que contenían el vino marcial de España: el jerez y sus derivados, color topacio, tostado o crudo; la manzanilla de Sanlúcar, el vino de pasto, el *pale dry,* el oloroso, el amontillado, dulces o secos.

La bodega estaba llena. Acodado en el ángulo de una mesa, des Esseintes esperaba el vaso de oporto solicitado a un caballero que estaba descorchando sodas explosivas contenidas en botellas

[80] El autor precisa que se trata de *muids,* barricas de 270 litros.

ovaladas que recordaban, exagerándolas, esas cápsulas de gelatina y gluten que usan las farmacias para enmascarar el sabor de ciertos medicamentos.

A su alrededor abundaban los ingleses: figuras de clérigos pálidos, vestidos de negro de la cabeza a los pies, con sombreros blandos, zapatos con cordones, levitas interminables con el pecho constelado de botoncitos, barbas afeitadas, gafas redondas, cabellos grasientos y aplastados, caras coloradotas de casquero y hocicos de mastín con cuellos apopléticos, orejas como tomates, mejillas vinosas, ojos inyectados e idiotas, cuellos peludos, semejantes a los de algunos grandes simios. Más allá, al final de la bodega, un dependiente de morcillas, con cabellos de estopa y mentón cubierto de vello blanco como el fondo de una alcachofa, descifraba, a través de un microscopio, los diminutos caracteres romanos de un periódico inglés. Enfrente, una especie de comodoro americano, regordete y robusto, con la piel curtida y la nariz bulbosa, dormitaba mirando, con un cigarro plantado en el velludo hueco de la boca, los cuadros colgados en las paredes, con anuncios de vinos de Champagne, de las bodegas Perrier y Roederer, Heidsieck y Mumm, y una cabeza encapuchada de monje, con el nombre, escrito en caracteres góticos, de Dom Pérignon, Reims.

Cierta flojera se apoderó de des Esseintes en esa atmósfera de cuerpo de guardia. Aturdido por el parloteo de los ingleses, hablando entre ellos, se quedaba ensimismado, evocando, frente al púrpura del oporto que llenaba los vasos, las criaturas de Dickens, a las que tanto les gusta beberlo, poblando imaginariamente la bodega con nuevos personajes, viendo aquí el cabello blanco y el rostro enrojecido del señor Wickfield; allá, la expresión flemática y astuta y el ojo implacable de señor Tulkinghorn, el siniestro abogado de *Casa Desolada*. Todos se desprendían de su memoria, se instalaban en la Bodéga con sus hechos y gestos. Sus recuerdos, reavivados por lecturas recientes, alcanzaban una precisión inaudita. La ciudad del novelista, la casa bien iluminada, bien caldeada, bien provista, bien protegida, y las botellas, lentamente escanciadas por la pequeña Dorrit, por Dora Copperfield, por la hermana de Tom Pinch, se le aparecían navegando como un arca tibia en un diluvio de fango y hollín. Se instaló en ese Londres ficticio, feliz de estar a salvo, escuchando el navegar de los remolcadores por el Támesis, que lanzaban aullidos siniestros detrás de las Tullerías, cerca del puente. Su vaso estaba vacío; a pesar del vapor disperso en la bodega, aún caldeada por las fumigaciones de los cigarros y las pipas, al volver a la realidad, con su ambiente húmedo y fétido, experimentó un pequeño escalofrío.

Pidió un vaso de amontillado, pero entonces, frente a ese vino seco y pálido, las lenitivas historias, las dulces malvasías del autor inglés se deshojaron y surgieron los impiadosos revulsivos, los dolorosos rubefacientes[81] de Edgar Poe; el frío sueño del barril de amontillado[82], del hombre emparedado en un sótano, lo asaltó. Los rostros benévolos y comunes de los bebedores americanos e ingleses que ocupaban el local le parecieron reflejar involuntarios y atroces pensamientos, instintivos y odiosos designios; luego se dio cuenta de que estaba solo, de que la hora de la cena estaba cerca; pagó, se levantó de la silla y se dirigió, todo aturdido, a la puerta. Recibió un bofetón húmedo tan pronto como puso los pies fuera. Empapados por la lluvia y las ráfagas, los faroles agitaban sus pequeños abanicos de llama, sin iluminar; el cielo, aún más bajo, rozaba el vientre de las casas. Des Esseintes contempló las arcadas de la calle Rivoli, ahogadas en la sombra y sumergidas

[81] Sustancia que forma parte de medicamentos en dermatología. Al aplicarse sobre la piel, produce enrojecimiento.

[82] *El barril de amontillado* (1846) es uno de los relatos de la etapa final de la vida de Poe. Es la historia de una venganza a base de amontillado.

por el agua, y le pareció encontrarse en el sombrío túnel excavado bajo el Támesis. Unas punzadas en el estómago le devolvieron a la realidad; subió al coche, dio al cochero la dirección de la taberna de la calle Ámsterdam, cerca de la estación, y consultó su reloj: las siete en punto. Tenía justo el tiempo para cenar; el tren no partía hasta las ocho y cincuenta minutos. Contaba con los dedos, calculaba las horas de la travesía de Dieppe a Newhaven, diciéndose: «Si los horarios son exactos, estaré mañana, a eso de las doce y media, en Londres».

El coche se detuvo frente a la taberna. Des Esseintes se bajó y entró en una larga sala, sin dorados, marrón, dividida por tabiques a media altura, en una serie de compartimentos semejantes a los boxes de las cuadras de caballos; en la sala, ensanchada cerca de la puerta, abundantes grifos de cerveza se erguían sobre un mostrador junto a jamones tan curtidos como viejos violines, langostas pintadas con minio y caballas marinadas, con aros de cebolla y zanahorias crudas, rodajas de limón, ramilletes de laurel y tomillo, bayas de enebro y pimienta gruesa, todo flotando en una salsa turbia.

Uno de esos boxes estaba vacío. Se adueñó de él y llamó a un joven vestido de negro, que se inclinó balbuceando palabras incomprensibles. Mientras preparaban la mesa, des Esseintes contempló a sus vecinos; al igual que en la Bodéga, isleños de ojos de porcelana, tez rojiza y aire reflexivo o arrogante leían periódicos extranjeros; solo mujeres, en pareja, sin sus caballeros, cenaban juntas: robustas inglesas con caras de muchacho, dientes anchos como paletas, mejillas coloradas como manzanas, largas manos y largos pies. Atacaban, con verdadero ardor, un *rumpsteak-pie,* una carne caliente, cocinada en una salsa de champiñones y revestida de un hojaldre, a modo de corteza.

Después de haber perdido el apetito durante tanto tiempo, quedó desconcertado ante esas buenas mozas cuya voracidad agudizó su hambre. Pidió una sopa de *oxstail,* se deleitó con esa sopa de rabo de buey, a la vez untuosa y aterciopelada, grasa y espesa; luego examinó la lista de pescados, pidió un *haddock,* una especie de abadejo ahumado que le pareció loable y, presa de un hambre voraz al ver a los demás atracarse, comió un rosbif con patatas y se bebió dos pintas de *ale*[83], excitado por el ligero gusto de vaquería almizclada que desprende esa fina y pálida cerveza.

Su hambre se saciaba; picoteó un trozo de queso azul de Stilton, de un dulzor impregnado de amargor, probó una tarta de ruibarbo y, para variar, apagó la sed con *porter,* esa cerveza negra que sabe a jugo de regaliz despojado de azúcar.

Respiraba; hacía años que no zampaba ni bebía tanto. Este cambio de hábito, esta elección de alimentos inesperados y sólidos había despertado su estómago. Se hundió en la silla, encendió un cigarrillo y se dispuso a degustar una taza de café, a la que añadió ginebra.

La lluvia seguía cayendo; la oía crepitar en los cristales que recubrían el fondo de la sala y chorrear en cascadas por los canalones; nadie se movía; todos se mimaban, como él, a resguardo, frente a pequeñas copas.

Las lenguas se soltaron. Como casi todos esos ingleses levantaban, al hablar, los ojos al cielo, des Esseintes concluyó que hablaban del mal tiempo. Ninguno de ellos reía y todos vestían trajes de cheviot gris, con rayas de amarillo nanquín y de rosa de papel secante. Observó, encantado, su propio atuendo, su color y su corte no diferían sensiblemente de los otros, y sintió la satisfacción de no desentonar en ese ambiente, de ser, en cierto modo y superficialmente, un ciudadano natural de Londres. Después, tuvo un sobresalto.

---

[83] Cerveza de alta fermentación y grado alcohólico superior al de la cerveza *lager.*

«¿Y la hora del tren? –se dijo. Consultó su reloj: ocho menos diez–. Todavía tengo cerca de media hora para estar aquí.»

Una vez más, pensó en el proyecto que había concebido. En su vida sedentaria, solo dos países lo habían atraído: Holanda e Inglaterra. Había cumplido el primero de sus deseos: no pudiendo soportarlo más, un buen día dejó París y visitó las ciudades de los Países Bajos, una por una.

En conjunto, el viaje le deparó crueles desilusiones. Se había imaginado una Holanda como la de las obras de Teniers y de Steen, de Rembrandt y de Ostade, imaginando de antemano, a su gusto, inigualables juderías, doradas como los cueros de Córdoba al sol; imaginando prodigiosas kermeses, continuas juergas en el campo, y esperaba esa bonhomía patriarcal, ese jovial desenfreno celebrado por los viejos maestros.

Ciertamente, Harlem y Ámsterdam lo habían seducido; el pueblo, sin pulir, visto en los verdaderos campos, se parecía mucho al pintado por Van Ostade, con sus niños no perfilados, tallados a cuchillo, y sus rollizas comadres, con grandes pechos y grandes barrigas. Pero de alegrías desenfrenadas, de borracheras familiares, nada. En resumen, debía reconocerlo, la escuela holandesa del Louvre lo había engañado; solo había servido de trampolín para sus sueños. Se había lanzado, se había precipitado tras una pista falsa, perdido en visiones inigualables, sin descubrir en la tierra ese país mágico y real que esperaba, sin ver, en la campiña sembrada de barriles, danzas de campesinos y campesinas llorando de alegría, saltando de felicidad, liberándose, a fuerza de reír, de sus faldas y sus calzas.

No, decididamente, nada de eso era visible: Holanda era un país como los demás y, encima, un país nada primitivo, nada bonachón, porque la religión protestante imperaba allí, con sus inflexibles hipocresías y sus solemnes rigideces.

El desencanto le volvía; consultó de nuevo el reloj: todavía le separaban diez minutos de la hora del tren.

«Es hora de pedir la cuenta y partir –pensó. Sentía una pesadez de estómago y una flojera extrema en todo el cuerpo–. Vamos –se dijo, para darse valor–, bebamos el trago de despedida.» Y llenó un vaso de brandy mientras pedía la cuenta.

Un individuo con frac negro y una servilleta en el brazo –una especie de mayordomo de cráneo puntiagudo y calvo, con barba canosa y dura, sin bigote– se acercó con un lápiz en la oreja y se apostó, una pierna adelantada, como un cantante, sacó del bolsillo una libreta y, sin mirar el papel, los ojos fijos en el techo, cerca de una lámpara, calculó el gasto y luego escribió.

–Aquí está –dijo, arrancando la hoja de su libreta y dándosela a des Esseintes, que lo miraba, curioso, como a un animal raro.

«Qué sorprendente John Bull[84]», pensó, contemplando a ese flemático personaje a quien su boca rasurada le daba también la vaga apariencia de un timonel de la marina americana.

En ese momento, se abrió la puerta de la taberna; entraron personas con un olor a perro mojado, al que se mezcló un humo de hulla, arrastrado de la cocina por el viento, cuya puerta sin pestillo se cerró de golpe. Des Esseintes era incapaz de mover las piernas; una suave y cálida aniquilación se deslizó por todos sus miembros, impidiéndole incluso extender la mano para encender un cigarrillo.

«Vamos, levántate, hay que irse –se decía; pero objeciones inmediatas contradecían sus órdenes–: ¿Para qué moverse, cuando se puede viajar tan magníficamente en una silla? ¿No estoy ya en Londres, con sus olores, su atmósfera, sus habitantes, sus alimen-

[84] Personaje imaginario que representa al inglés típico: un hombre robusto, de mediana edad, que vive en el campo, alegre, práctico y poco emotivo.

tos, sus utensilios, rodeándome? ¿Qué podría esperar sino nuevas desilusiones, como en Holanda?»

Ya solo tenía tiempo para correr a la estación, y una inmensa aversión por el viaje, una imperiosa necesidad de quedarse tranquilo, se imponía con una insistencia cada vez más acentuada, cada vez más tenaz. Pensativo, dejó que pasaran los minutos, cortándose así la retirada, diciéndose: «Ahora tendría que correr a las taquillas, ir a empujones con los equipajes. ¡Qué aburrimiento! ¡Qué tarea más pesada! –Y se repetía una vez más–: En resumen, he experimentado y he visto lo que quería experimentar y ver. Estoy saturado de vida inglesa desde mi partida; sería una locura perder, por un viaje fuera de razón, sensaciones imperecederas. En fin, ¿cómo puedo haber llegado a la aberración de intentar abjurar de ideas antiguas, de renegar de las dóciles fantasmagorías de mi cerebro, de creer, como un verdadero novato, en la necesidad, en la curiosidad, en el interés de una excursión?».

«Es hora de volver a casa», se dijo mirando el reloj y poniéndose de pie.

Esta vez salió, ordenó al cochero que lo llevara de vuelta a la estación de Sceaux, y regresó, con sus baúles, sus paquetes, sus maletas, sus mantas, sus paraguas y sus bastones, a Fontenay, sintiendo el agotamiento físico y la fatiga moral de un hombre que vuelve al hogar después de un largo y peligroso viaje.

Capítulo XII

Los días que siguieron a su vuelta a casa, des Esseintes los pasó observando sus libros y, al pensar que podría haberse separado de ellos durante mucho tiempo, sintió una satisfacción tan profunda como la que habría experimentado al encontrarlos después de una larga ausencia. Embargado por este sentimiento, le parecieron nuevos, ya que percibió en ellos bellezas olvidadas desde la época en que los había adquirido.

Todo –libros, pequeños adornos, muebles– adquirió a sus ojos un encanto particular: su cama le pareció más mullida, en comparación con el catre que habría ocupado en Londres; el discreto y silencioso servicio de sus criados le encantó, cansado como estaba, en su imaginación, de la locuacidad ruidosa de los camareros de hotel; y la organización metódica de su vida le pareció más envidiable, ahora que había experimentado los desagradables azares de sus peregrinaciones.

Se volvió a sumergir en ese baño de rutina al que lamentos artificiales atribuían una cualidad más revitalizadora y tonificante.

Pero lo que más le preocupó fueron sus libros. Los examinó, los reordenó en los estantes, verificando si, desde su llegada a Fontenay, el calor y las lluvias no habían dañado sus encuadernaciones ni picado sus raros papeles.

Empezó por cambiar de sitio toda su biblioteca latina. Luego dispuso en un orden nuevo las obras especiales de Arquelao, Alberto Magno, Lulio y Arnau de Vilanova, que trataban sobre la cábala y las ciencias ocultas. Finalmente examinó, uno por uno, sus libros modernos y constató, con alegría, que todos estaban secos, intactos.

Esta colección le había costado cantidades considerables; no admitía, de hecho, que los autores que apreciaba estuvieran en su biblioteca de la misma manera que en las de los demás, impresos en papel de algodón con los zapatos claveteados de un auvernés[85].

En París, en otro tiempo, había mandado componer, para él en exclusiva, ciertos volúmenes que especialistas contratados para ese fin imprimían en prensas manuales. A veces recurría a Perrin de Lyon, cuyos esbeltos y puros tipos convenían a las reimpresiones arcaicas de los viejos libros; otras veces mandaba traer de Inglaterra o América, para la confección de las obras del presente siglo, caracteres nuevos; en ocasiones se dirigía a una casa de Lille que tenía, desde hacía siglos, un juego completo de caracteres góticos; algunas veces, en fin, recurría a la antigua imprenta Enschedé, de Harlem, cuya fundición conserva los troqueles y matrices de los caracteres llamados de «civilidad»[86].

Y había hecho lo mismo con el papel de sus libros. Cansado, un buen día, de los papeles chinos plateados, de los japones nacarados y dorados, de los *whatmans* blancos, los holandeses oscuros, los *turkeys* y los *seychal-mills* teñidos de cámel, y también disgustado con los papeles fabricados a máquina, había encargado vergés especiales en las viejas manufacturas de Vire, donde todavía se usan los pilones antaño utilizados para triturar el cáñamo. Para intro-

---

[85] De Auvernia, región muy montañosa. La alusión aquí apunta a lo rústico y montaraz.

[86] Caracteres o letras que imitan la letra gótica cursiva, creados en 1557 y muy utilizados en los manuales escolares. Toman este nombre después de la reimpresión del libro *Règles de la bienséance et de la civilité chrétienne,* de Juan Bautista de La Salle, fundador de la orden salesiana.

ducir algo de variedad en sus colecciones, había pedido en varias ocasiones a Londres telas especiales, papeles con pelo, papeles reps y, para recalcar su desdén por los bibliófilos, un comerciante de Lübeck le preparaba un papel de envolver velas perfeccionado, azulado, sonoro, un poco quebradizo, en cuya pasta las hebras eran reemplazadas por filamentos de oro, similares a los que salpican el aguardiente de Danzig.

Se había procurado, con estas medidas, libros únicos, con formatos insólitos que hacía revestir por Lortic, por Trautz-Bauzonnet, por Chambolle, por los sucesores de Capé, con encuadernaciones impecables en seda antigua, en piel de buey estampada, en piel de cabra del Cabo, encuadernaciones completas, con compartimentos y mosaicos, forradas de tafetán o muaré, ornamentadas eclesiásticamente con cierres y esquineras, a veces incluso esmaltadas por Gruel-Engelmann con plata oxidada y lacas luminosas.

Así, había mandado imprimir, con las admirables letras episcopales de la antigua casa Le Clère, las obras de Baudelaire en un formato grande, que recordaba el de los misales, en un fieltro muy ligero de Japón, esponjoso, suave como la médula de saúco y teñido imperceptiblemente, en su blancura lechosa, de un rosa ligero. Esta edición, tirada a un solo ejemplar con tinta china de un negro aterciopelado, había sido vestida por fuera y cubierta por dentro con una piel de cerda[87], mirífica y auténtica, escogida entre mil, color carne, toda punteada en cada pelo, y ornamentada con encajes negros estampados en frío y milagrosamente conjuntados por un gran artista.

Ese día, des Esseintes había sacado este libro incomparable de sus estantes y lo palpaba devotamente, releyendo ciertos fragmen-

[87] Piel frecuentemente utilizada por los encuadernadores alemanes de los siglos XV y XVI para las obras religiosas.

tos, que le parecían, en ese marco simple pero inestimable, más penetrantes de lo habitual.

Su admiración por este escritor era ilimitada. Según él, en literatura, hasta entonces solo se había explorado la superficie del alma penetrando exclusivamente en sus subterráneos accesibles e iluminados, descubriendo, aquí y allá, los yacimientos de los pecados capitales, estudiando sus vetas, su crecimiento, anotando, como Balzac, por ejemplo, las estratificaciones del alma poseída por la monomanía de una pasión, por la ambición, por la avaricia, por la estupidez paterna, por el amor senil.

A fin de cuentas, no era más que la excelente salud de las virtudes y los vicios, la tranquila acción de las mentes comúnmente conformadas, la realidad práctica de las ideas corrientes, sin un ideal de depravación enfermiza: lo habitual. En resumen, los descubrimientos de los especialistas se detenían en las especulaciones, malas o buenas, clasificadas por la Iglesia; era la simple investigación, la ordinaria vigilancia de un botánico que sigue de cerca el desarrollo previsto de floraciones normales plantadas en tierra natural.

Baudelaire había ido más lejos; había descendido hasta el fondo de la inagotable mina, se había adentrado en galerías abandonadas o desconocidas y había llegado a esos distritos del alma donde se ramifican las vegetaciones monstruosas del pensamiento.

Allí, cerca de esos confines donde residen las aberraciones y las enfermedades, el tétanos místico, la fiebre ardiente de la lujuria, las fiebres tifoideas y los vómitos negros del crimen, había encontrado, incubándose bajo la *lúgubre campana del Aburrimiento*[88], el aterrador climaterio de los sentimientos y las ideas.

[88] En francés, *Morne cloche de l'Ennui,* alusión a varios poemas de *Las flores del mal* (1857), obra fundamental de Baudelaire.

Había revelado la psicología morbosa de la mente que ha alcanzado el octubre de sus sensaciones; narrado los síntomas de las almas requeridas por el dolor, privilegiadas por el *spleen;* mostrado la caries creciente de las impresiones cuando los entusiasmos y las creencias de la juventud se han secado, cuando no queda más que el árido recuerdo de las miserias soportadas, de las intolerancias sufridas, de los desaires padecidos por las inteligencias oprimidas por un destino absurdo.

Había seguido todas las fases de este lamentable otoño, observando a la criatura humana, dócil para amargarse, hábil para defraudarse, obligando a sus pensamientos a engañarse entre sí, para sufrir más, arruinando de antemano, gracias al análisis y la observación, toda alegría posible.

Luego, en esa sensibilidad irritada del alma, en esa ferocidad de la reflexión que rechaza el molesto ardor de las devociones, los benévolos agravios de la caridad, veía surgir, poco a poco, el horror de esas pasiones añejas, de esos amores maduros, en que uno se entrega, aun cuando el otro ya está a la defensiva, donde el cansancio reclama a las parejas caricias filiales cuya aparente juventud parece nueva, candideces maternales cuya dulzura reposa y concede, por así decirlo, los interesantes remordimientos de un vago incesto.

Había expuesto en magníficas páginas sus amores híbridos, exasperados por la impotencia que les impide colmarse, y esas peligrosas mentiras de los estupefacientes y los tóxicos a los que se pide auxilio para adormecer el sufrimiento y matar el aburrimiento. En una época en que la literatura atribuía casi exclusivamente el dolor de vivir a las desdichas de un amor no correspondido o a los celos del adulterio, él había despreciado estos achaques infantiles para sondear heridas más incurables, más vivas, más profundas, abiertas por la saciedad, la desilusión, el desprecio, en las almas en ruinas a las que el presente tortura, el pasado repugna y el futuro asusta y desespera.

Y, cuanto más releía a Baudelaire, más reconocía des Esseintes un encanto indescriptible en ese escritor que, en una época en la que el verso no servía más que para pintar el aspecto exterior de los seres y las cosas, había logrado expresar lo inexpresable, gracias a una lengua musculosa y fibrosa, que, más que cualquier otra, poseía esa maravillosa fuerza capaz de fijar con unas expresiones extrañamente vigorosas los estados morbosos más fugaces, más temblorosos, de los espíritus agotados y las almas tristes.

Aparte de Baudelaire, el número de libros franceses en sus estantes era bastante reducido. Seguramente era insensible a las obras ante las que es de buen gusto pasmarse. La gran risa de Rabelais y la sólida comicidad de Molière no lograban hacerle sonreír, y su antipatía hacia esas farsas llegaba incluso al punto de no temer asimilarlas, desde el punto de vista del arte, a esos desfiles de bufones que alegran las ferias.

En cuanto a poesías antiguas, apenas leía a Villon, cuyas melancólicas baladas lo conmovían, y, aquí y allá, algunos fragmentos de d'Aubigné[89] que le estimulaban la sangre con las increíbles virulencias de sus apóstrofes y anatemas.

En prosa, le importaban muy poco Voltaire y Rousseau, e incluso Diderot, cuyos *Salons,* tan alabados, le parecían singularmente llenos de tonterías morales y aspiraciones bobas. Por odio a todos esos desatinos, se confinaba casi exclusivamente en la lectura de la elocuencia cristiana, de Bourdaloue[90] y de Bossuet, cuyas sonoras y adornadas frases le impresionaban; pero saboreaba, aún más, esas esencias condensadas en frases severas

[89] Théodore Agrippa d'Aubigné (1552-1630), poeta barroco favorito de Enrique IV de Francia.

[90] Louis Bourdaloue (1632-1704), predicador jesuita contemporáneo de Bossuet.

y fuertes, como las de Nicole en sus pensamientos, y sobre todo las de Pascal, cuyo austero pesimismo, cuya dolorosa atrición le llegaban al corazón.

Aparte de estos pocos libros, la literatura francesa comenzaba, en su biblioteca, con el siglo.

Se dividía en dos grupos: uno comprendía la literatura ordinaria, profana; el otro, la literatura católica, una literatura especial, casi desconocida, divulgada, sin embargo, por inmensas y seculares editoriales, en los cuatro rincones del mundo.

Tuvo el valor de vagar por esas criptas y, al igual que en el arte secular, descubrió, bajo un gigantesco cúmulo de insipideces, algunas obras escritas por verdaderos maestros.

El carácter distintivo de esta literatura era la constante inmutabilidad de sus ideas y su lengua. La Iglesia, así como había perpetuado la forma prístina de los objetos santos, también había guardado las reliquias de sus dogmas y conservado piadosamente el relicario que los encerraba: la lengua oratoria del gran siglo. Tal como lo declaraba incluso uno de sus escritores, Ozanam[91], el estilo cristiano no tenía que ver con la lengua de Rousseau; debía servirse exclusivamente del dialecto empleado por Bourdaloue y por Bossuet.

A pesar de esta afirmación, la Iglesia, más tolerante, cerraba los ojos ante ciertas expresiones, ante ciertos giros tomados de la lengua laica del mismo siglo, con lo que el idioma católico se había liberado un poco de sus frases macizas, pesadas, sobre todo en Bossuet, por la longitud de sus incisos y por el penoso encadenamiento de los pronombres; pero ahí se habían detenido las concesiones, pues otras, sin duda, no hubieran conducido a nada, ya

[91] Frédéric Ozanam (1813-1853) ocupó la cátedra de Literaturas extranjeras en la Sorbona. Huysmans se sirvió de su obra *La Civilisation au Vème siècle* para el capítulo II, sobre la literatura cristiana tardía.

que, así aligerada, esta prosa podía bastar para los temas restringidos que la Iglesia se obligaba a tratar.

Incapaz de abordar la vida contemporánea, de hacer visible y palpable el más simple aspecto de los seres y las cosas, no apta para explicar las complejas astucias de un cerebro indiferente al estado de gracia, esta lengua sobresalía sin embargo en los temas abstractos. Era útil en las controversias, en la demostración de una teoría, en la incertidumbre de un comentario, y tenía, más que cualquier otra, la autoridad necesaria para afirmar, sin discusión, el valor de una doctrina.

Desgraciadamente, allí como en todas partes, un innumerable ejército de pedantes había invadido el santuario y ensuciado, con su ignorancia y su falta de talento, su rígida y noble compostura. Para colmo de males, se habían entrometido algunas devotas, y sacristías torpes y salones imprudentes habían celebrado, como obras de genio, los miserables parloteos de esas mujeres.

Des Esseintes había tenido la curiosidad de leer, entre esas obras, las de la señora Swetchine[92], una generala rusa cuya casa de París atraía a los católicos más fervientes. Le habían producido un inalterable y abrumador aburrimiento: eran peor que malas, eran banales; daban la idea de un eco retenido en una pequeña capilla donde todos, estirados y sofisticados, murmuraban sus oraciones, se intercambiaban en voz baja sus novedades, se repetían, con aire misterioso y profundo, sobre lugares comunes como la política, las previsiones del barómetro y el estado actual de la atmósfera.

Pero había algo peor: una laureada con un diploma del Instituto, la señora de Augustus Craven, autora de *Récit d'une soeur,* y de

[92] Sofía Soïmonova (1782-1857), esposa del general ruso Swetchine, se convirtió al catolicismo, instalándose en París, donde abrió un salón que frecuentaron escritores como los ya citados Lamennais y Lacordaire. Apoyó el catolicismo liberal.

las novelas *Éliane* y *Fleurange*[93], a la que apoyaba a bombo y platillo toda la prensa apostólica. Jamás des Esseintes había imaginado que se pudieran escribir tales insignificancias. Estos libros eran, desde el punto de vista de su concepción, de una tal estupidez y estaban escritos con un lenguaje tan nauseabundo que llegaban a adquirir un carácter personalísimo, casi raro.

Por lo demás, no era entre las mujeres donde des Esseintes, que tenía el alma poco fresca y era de naturaleza poco sentimental, podía encontrar un refugio literario adecuado a sus gustos.

Sin embargo, puso todo de su parte para, con una dedicación que ninguna impaciencia pudo reducir, saborear la obra de la mujer inteligente, de la Virgen de las Pedantes del grupo. Sus esfuerzos fracasaron; no logró engancharse a ese *Journal* y a esas *Lettres* donde Eugénie de Guérin[94] celebra sin discreción el prodigioso talento de un hermano que versificaba con tal ingenuidad y gracia que había que remontarse, sin duda, a las obras del señor de Jouy[95] y del señor Écouchard Lebrun para encontrar algo tan audaz y tan nuevo.

Había intentado en vano comprender los deleites de esas obras en las que se encuentran relatos como estos: «Esta mañana colgué junto a la cama de papá una cruz que le dio ayer una niña» y «Mimi y yo estamos invitadas mañana a la bendición de una campana en casa del señor Roquiers; no me disgusta esta excursión»,

---

[93] Pauline de la Ferronays (1808-1891), hija del conde de la Ferronays, se casó con el diplomático británico Augustus Craven. Tanto el libro de memorias *Récit d'une soeur* (1866), sobre la familia, como las novelas *Fleurange* (1872) y *Éliane* (1882), de carácter edificante, razón por la que fue premiada por la Academia Francesa, gozaron de inmenso éxito. Huysmans se refiere con ironía a este premio con su «diploma del Instituto».

[94] Eugénie de Guérin (1805-1848), hermana del poeta Maurice de Guérin (al que se menciona a continuación), escritora católica que destacó, sobre todo, por sus diarios y su correspondencia.

[95] Étienne de Jouy (1764-1846), dramaturgo, y Ponce-Denis Écouchard-Lebrun (1729-1807), poeta.

en las que se mencionan hechos tan importantes como: «Acabo de colgarme al cuello una medalla de la Virgen María que me envió Louise, como protección contra el cólera», o poesías del tipo: «¡Oh, el hermoso rayo de luna que acaba de caer sobre el Evangelio que estaba leyendo!» y, en fin, observaciones tan penetrantes y sutiles como esta: «Cuando veo pasar frente a una cruz a un hombre que se persigna o se quita el sombrero, me digo: Ahí va un cristiano».

Todo era así, sin pausa, sin tregua, hasta que Maurice de Guérin murió y su hermana lo lloró en nuevas páginas, escritas en una prosa insípida, salpicada aquí y allá con fragmentos de poemas cuya humillante pobreza acababa por inspirar compasión a des Esseintes.

¡Ah! No era por criticar, pero el partido católico tenía muy poco criterio en la elección de sus protegidas y muy poco arte. Esas linfas, a las que tanto había mimado y no se había cansado de alabar en su propaganda, escribían todas como internas de convento, en una lengua incolora, con uno de esos flujos de frases con una logorrea que ningún astringente detiene.

Así que des Esseintes se alejaba de esa literatura con horror; pero tampoco los maestros modernos del sacerdocio le ofrecían compensaciones suficientes para remediar sus decepciones. Eran predicadores o polemistas impecables y correctos, pero la lengua cristiana había terminado, en sus discursos y en sus libros, por volverse impersonal, por congelarse en una retórica de movimientos y reposos previstos, en una serie de períodos construidos según un modelo único. Y, de hecho, todos los eclesiásticos escribían igual, con un poco más o un poco menos de soltura o énfasis, y la diferencia era casi nula entre los grises trazos de los monseñores Dupanloup o Landriot, La Bouillerie o Gaume, Dom Guéranger o el padre Ratisbonne, monseñor Freppel o monseñor Perraud, los reverendos padres Ravignan o Gratry, el jesuita Olivain, el carmelita Dosithée, el dominico Didon o el exprior de Saint-Maximin, el reverendo Chocarne.

A menudo des Esseintes lo había pensado: se necesitaba un talento muy auténtico, una originalidad muy profunda, una convicción muy arraigada para descongelar esa lengua tan fría, para animar ese estilo público que no podía sostener ningún pensamiento imprevisto, ninguna tesis valiente.

Sin embargo, había escritores cuya ardiente elocuencia fundía y retorcía esa lengua, Lacordaire, sobre todo, uno de los pocos escritores que la Iglesia había producido en años. Encerrado, como todos sus colegas, en el estrecho círculo de las especulaciones ortodoxas, obligado como ellos a no moverse del sitio y a tocar solo ideas emitidas y consagradas por los Padres de la Iglesia y desarrolladas por los maestros del púlpito, lograba dar la impresión de rejuvenecerlas, casi de modificarlas, mediante una forma más personal y viva. De vez en cuando, en sus *Conférences de Notre-Dame,* había hallazgos de expresiones, audacias de palabras, acentos de amor, saltos, gritos de alegría, efusiones desesperadas, gracias a los que el estilo secular humeaba bajo su pluma. Además, aparte del talentoso orador que era ese hábil y dulce monje, cuyos esfuerzos y habilidades se agotaron en la imposible tarea de conciliar las doctrinas liberales de una sociedad con los dogmas autoritarios de la Iglesia, había en él un temperamento de fervorosa dilección, de diplomática ternura. Así, en las cartas que escribía a los jóvenes, se percibían caricias de un padre exhortando a sus hijos, suaves reprimendas, consejos benevolentes, indulgentes perdones. Algunas eran encantadoras, confesaba en ellas todo su apetito de afecto, y otras eran casi imponentes cuando sostenía el ánimo y disipaba las dudas con las inquebrantables certezas de su fe. En resumen, ese sentimiento de paternidad, que bajo su pluma tomaba una forma delicada y femenina, imprimía a su prosa un acento único entre toda la literatura clerical.

Después de él, eran muy raros los eclesiásticos y monjes que tenían alguna personalidad. A lo sumo, algunas páginas de su alumno, el abate Peyreyve, podían resistir una lectura. Había dejado conmovedoras biografías de su maestro, escrito algunas cartas amables, compuesto artículos en la sonora lengua de los discursos, pronunciado panegíricos donde el tono declamatorio dominaba demasiado. Ciertamente, el abate Peyreyve no tenía ni las emociones ni las llamas de Lacordaire. Era demasiado sacerdote y muy poco hombre; sin embargo, de vez en cuando, en su retórica de sermón estallaban comparaciones curiosas, frases amplias y sólidas, elevaciones casi augustas.

Pero había que llegar a los escritores que no habían recibido la ordenación sacerdotal, a los escritores seglares, ligados a los intereses del catolicismo y dedicados a su causa, para encontrar prosistas que valieran la pena.

El estilo episcopal, tan banalmente manejado por los prelados, se había templado y, de alguna manera, había recuperado un vigor viril con el conde de Falloux. Bajo una apariencia moderada, este académico exudaba hiel; sus discursos pronunciados en 1848 en el Parlamento eran difusos y apagados, pero sus artículos, publicados en *Le Correspondant* y reunidos después en libros, eran mordaces y ásperos bajo su exagerada cortesía formal. Concebidos como arengas, contenían un verbo amargo y sorprendían por la intolerancia de sus convicciones.

Polemista peligroso por sus emboscadas, lógico retorcido, caminando de lado, golpeando de improviso, el conde de Falloux también había escrito páginas penetrantes sobre la muerte de la señora Swetchine, de quien había recopilado los opúsculos y a quien veneraba como a una santa.

Pero donde el temperamento del escritor se mostraba verdaderamente era en dos folletos publicados, uno en 1846 y el otro en 1880, este último titulado *L'Unité national.*

Animado de una rabia fría, el implacable legitimista combatía, esta vez de frente, contrariamente a sus costumbres, y lanzaba a los incrédulos, a modo de peroratas, estas fulminantes invectivas: «Y ustedes, utopistas sistemáticos, que hacen abstracción de la naturaleza humana, fomentadores de ateísmo, alimentados de quimeras y odios, emancipadores de la mujer, destructores de la familia, genealogistas de la raza simia, ustedes, cuyo nombre era antaño una injuria, pueden estar contentos: ¡habrán sido los profetas, y sus discípulos serán los pontífices, de un futuro abominable!».

El otro folleto llevaba por título *Le Parti catholic,* y estaba dirigido contra el despotismo de *L'Univers* y contra Veuillot[96], cuyo nombre evitaba cuidadosamente. En él se repetían los ataques sinuosos, el veneno se filtraba bajo cada una de esas líneas en las que el caballero, cubierto de moretones, respondía con sarcásticos desprecios a los zapatazos de Veuillot.

Entre los dos, representaban bien a los dos partidos de la Iglesia donde las disidencias se resolvían en odios implacables; de Falloux, más altivo y cauteloso, formaba parte de esa secta liberal en la que ya estaban reunidos Montalembert y Cochin, Lacordaire y de Broglie; compartía, por completo, las ideas de *Le Correspondant,* una revista que se esforzaba en cubrir con un barniz de tolerancia las teorías dictatoriales de la Iglesia; Veuillot, más desaliñado, más franco, rechazaba estas máscaras, atestiguaba, sin dudar,

---

[96] *L'Univers,* fundado en 1833, fue un periódico católico ultramontano. Tuvo a Louis Veuillot como director, que se opuso a la ley en favor del catolicismo promulgada por Falloux, cuando era ministro de Instrucción Pública en el Segundo Imperio, por considerarla insuficiente.

la tiranía de las voluntades ultramontanas, admitía y proclamaba en voz alta el implacable yugo de sus dogmas.

Veuillot se había fabricado, para la lucha, un lenguaje particular en el que había tanto de La Bruyère[97] como de cualquier barriobajero del Gros-Caillou[98]. Este estilo medio solemne, medio canalla, esgrimido por personalidad tan brutal, adquiría el peso temible de una maza contundente. Singularmente obstinado y valiente, había machacado con esta terrible herramienta tanto a librepensadores como a obispos, zurrando con todas sus fuerzas, golpeando como un gorila a sus enemigos, cualquiera que fuera su partido. Reprobado por la Iglesia, que no admitía ni este estilo de contrabando ni estos aires de barriada, este religioso pendenciero se había impuesto, sin embargo, por su gran talento, amotinando contra él a toda la prensa, a la que vapuleaba hasta hacer sangre en sus *Odeurs de Paris* enfrentándose a todos los asaltos, deshaciéndose a puntapiés de todos los plumíferos de poca monta que intentaban echársele encima.

Desgraciadamente, este talento indiscutible solo se revelaba en la pelea: en calma, Veuillot no era más que un escritor mediocre, sus poesías y sus novelas inspiraban lástima, su lengua viperina se desvanecía cuando no golpeaba. El luchador católico se transformaba, en reposo, en un achacoso que tosía letanías banales y balbuceaba cánticos infantiles.

Más estirado, más contenido, más grave, era el apologista preferido de la Iglesia, el inquisidor de la lengua cristiana, Ozanam. Aunque era difícil de sorprender, des Esseintes no dejaba de asombrarse por el aplomo de este escritor, que hablaba de los designios

---

[97] Jean de La Bruyère (1645-1696), uno de los más destacados moralistas de la literatura francesa. Su obra más famosa, *Los caracteres o las costumbres de este siglo,* se publicó en 1688.

[98] Barrio del distrito VII de París, manufacturero y popular, situado entre la calle de Grenelle y el Sena.

impenetrables de Dios sin sentir la necesidad de aportar pruebas de las inverosímiles afirmaciones que proponía. Con la mayor serenidad, deformaba los hechos, contradiciendo, más impúdicamente aún que los panegiristas de otros partidos, los actos reconocidos de la historia: certificaba que la Iglesia nunca había ocultado su estima por la ciencia, calificaba las herejías de miasmas impuros, trataba el budismo y otras religiones con tal desprecio que se disculpaba por mancillar la prosa católica al atacar sus doctrinas.

A veces, la pasión religiosa insuflaba cierto ardor a su lenguaje oratorio, bajo cuya frialdad bullía una corriente de violencia sorda. En sus numerosos escritos sobre Dante, sobre san Francisco, sobre el autor del *Stabat*[99], sobre los poetas franciscanos, sobre el socialismo, sobre el derecho comercial, sobre todo, este hombre defendía al Vaticano, que consideraba infalible. Valoraba todas las causas según se acercaran más o menos a la suya o se alejaran de ella.

Esta manera de abordar las cuestiones desde un solo punto de vista era también la de ese pobre escribano, Nettement, al que algunos oponían a Ozanam como rival. Este Nettement era menos rígido y afectaba pretensiones menos altaneras y más mundanas. En varias ocasiones, había salido del claustro literario donde se confinaba Ozanam y había recorrido las obras profanas para juzgarlas. Había entrado en ellas a tientas, como un niño en una cueva, entre tinieblas, percibiendo, en medio de esa oscuridad, solo la luz del cirio que le iluminaba unos pocos pasos por delante.

En esta ignorancia de los lugares, en esta sombra, Nettement había tropezado a cada paso. De Mürger decía que «gustaba del estilo cincelado y cuidadosamente terminado»; de Hugo, que buscaba lo infecto y lo inmundo, atreviéndose a compararlo con el

---

[99] *Stabat mater dolorosa / juxta crucem lacrimosa*: «Transida de dolor estaba de pie la Madre / llorando junto a la cruz». Se trata del comienzo de un poema del siglo XIII atribuido a Jacopone de Todi, que ha inspirado a numerosos compositores. (Ver capítulo XV.)

señor de Laprade. Si hablaba de Delacroix, que desdeñaba la regla. A Paul Delaroche y al poeta Reboul los exaltaba porque le parecía que tenían fe.

Des Esseintes no podía evitar encogerse de hombros ante estas lamentables opiniones, expresadas en una prosa convaleciente, cuyo tejido, ya gastado, se enganchaba y desgarraba en cada esquina de las frases.

Por otro lado, las obras de Poujoulat y de Genoude, de Montalembert, de Nicolas y de Carné no le inspiraban un mayor interés. Su inclinación por la historia, tratada con precisión erudita en una lengua honorable por el duque de Broglie, y su debilidad por las cuestiones sociales y religiosas, abordadas por Henry Cochin, quien, sin embargo, se había dado a conocer en una carta donde contaba una emotiva toma de hábito en el Sacré Cœur de París[100], apenas encontraban satisfacción en estos autores. Hacía mucho tiempo que no tocaba esos libros, y quedaba ya lejos la época en que había arrojado a la papelera las pueriles elucubraciones del sepulcral Pontmartin y del miserable Féval, y había confiado a los criados, para su uso común[101], las historietas de los Aubineau y de los Lasserre, esos bajos hagiógrafos de los milagros obrados por el señor Dupont de Tours[102] y por la Virgen.

En suma, des Esseintes no obtenía de esta literatura ni siquiera una distracción pasajera para su aburrimiento, por lo que relegaba a los rincones oscuros de su biblioteca esos montones de libros que había estudiado en su juventud, cuando salió de los jesuitas.

«Debí dejar esos libros en París», se dijo al encontrar, ocultos por otros, libros que le eran particularmente insoportables, como

---

[100] Se refiere a la entrada en religión de la hija de Cochin, Catherine de Montalembert.

[101] Eufemismo para indicar su uso en el excusado.

[102] Magistrado martiniqués instalado en Tours en 1834, a quien se atribuyen milagros. Era conocido como el santo de Tours.

los del abad Lamennais y los de ese impermeable sectario, tan magistralmente, tan pomposamente aburrido y vacío, el conde Joseph de Maistre.

Solo quedaba uno, puesto en un estante al alcance de su mano, *El hombre,* de Ernest Hello.

Hello era la antítesis absoluta de sus colegas de religión. Casi aislado dentro de un grupo piadoso al que sus maneras espantaban, había acabado por abandonar ese camino de mucho tránsito que lleva de la tierra al cielo. Asqueado sin duda por la banalidad de esa vía y por la multitud de esos peregrinos de las letras que seguían en fila india, desde hacía siglos, el mismo camino, marchando uno detrás de otro, deteniéndose en los mismos sitios para intercambiar los mismos lugares comunes sobre la religión, sobre los Padres de la Iglesia, sobre sus mismas creencias, sobre sus mismos maestros, se había desviado por senderos secundarios, había desembocado en el sombrío claro de Pascal, donde se había detenido mucho tiempo para recuperar el aliento y continuar luego su camino, adentrándose, antes que el jansenista, al que por otra parte criticaba, en las regiones del pensamiento humano.

Retorcido y preciosista, doctoral y complejo, Hello, por las penetrantes argucias de su análisis, recordaba a des Esseintes los estudios minuciosos y puntillosos de algunos de los psicólogos incrédulos del siglo pasado y del presente. Había en él una especie de Duranty[103] católico, pero más dogmático y más agudo, un experto en el manejo de la lupa, un experimentado ingeniero del alma, un hábil relojero del cerebro, que se complacía en examinar el mecanismo de una pasión y explicarlo con detalle.

En esta mente, singularmente conformada, había insospecha-

[103] Edmond Duranty (1833-1880), fundador con Champ-Fleury de la revista *Realisme.* Baudelaire admiraba su novela *Le malheur d'Henriette Gérard.*

das relaciones de ideas, acercamientos y oposiciones inesperadas; y todo un curioso proceso que convertía la etimología de las palabras en un trampolín para analizar ideas cuya relación era casi siempre ingeniosa y viva, aunque a veces se volviera tenue.

Así, y a pesar del escaso equilibrio de sus construcciones, había desmontado con singular perspicacia al «avaro», al «hombre mediocre»; analizado «el gusto por el mundo», «la pasión de la desgracia», y revelado las interesantes comparaciones que pueden establecerse entre las operaciones de la fotografía y las del recuerdo.

Pero esa habilidad en el manejo del análisis, esa herramienta perfeccionada que había robado a los enemigos de la Iglesia, solo representaba uno de los aspectos del temperamento de este hombre.

Habitaba otro ser en él: ese espíritu se desdoblaba, y tras el anverso aparecía el reverso del escritor, un fanático religioso y un profeta bíblico.

Al igual que Hugo, cuyas dislocaciones de ideas y frases nos recordaba de vez en cuando, Ernest Hello se había complacido en jugar a ser un pequeño san Juan en Patmos[104]; pontificaba y vaticinaba desde lo alto de una roca fabricada con el barullo de objetos beatos de la calle Saint-Sulpice, arengando al lector con un lenguaje apocalíptico que sazonaba, en ocasiones, con la amargura de un Isaías.

Entonces afectaba desmesuradas pretensiones de profundidad. Algunos, complacientes, lo proclamaban genio, lo consideraban, fingidamente, como el gran hombre, como el pozo de ciencia del siglo; un pozo quizá, pero con un fondo en el que muy a menudo no se veía nada.

[104] Una de las representaciones habituales de san Juan en el arte medieval es la que le muestra escribiendo el último libro de la Biblia, el Apocalipsis, en la isla griega de Patmos.

En su volumen, *Palabras de Dios,* donde parafraseaba las Escrituras y se esforzaba en complicar su sentido casi claro; y en su otro libro, *El hombre,* en la separata, *Le jour du Seigneur,* redactada en un estilo bíblico, entrecortado y oscuro, se revelaba como un apóstol vengativo, orgulloso, corroído por la bilis, y se mostraba también como un diácono afectado por la epilepsia mística, como un de Maistre con talento, como un sectario iracundo y brutal.

Solo que, pensaba des Esseintes, esa desmesura enfermiza eclipsaba a menudo los destellos inventivos del casuista. Con más intolerancia aún que Ozanam, negaba resueltamente todo lo que se opusiera a las ideas de su clan, proclamaba los axiomas más asombrosos, sostenía con una desconcertante autoridad que «la geología se había puesto de parte de Moisés», que la historia natural, que la química, que toda la ciencia contemporánea verificaban la exactitud científica de la Biblia. En cada una de sus páginas se mostraba la única verdad, el conocimiento sobrehumano de la Iglesia, todo sembrado de aforismos más que peligrosos y de furibundas imprecaciones vomitadas a raudales sobre el arte del último siglo.

A esa extraña amalgama se añadía su gusto por las dulzuras beatas, por las traducciones del libro *Des Visions,* de Angèle de Foligno, un libro recorrido por la tontería con una fluidez sin igual, y de las obras escogidas de Juan Rusbrock, el Admirable, un místico del siglo XIII, cuya prosa ofrecía una incomprensible pero atractiva mezcla de exaltaciones sombrías, efusiones cariñosas y arrebatos ásperos.

Toda la pose del pontífice arrogante que era Hello había surgido de un prefacio abracadabrante escrito a propósito de ese libro. Como él mismo subrayaba, «las cosas extraordinarias solo pueden balbucearse», y, en efecto, balbuceaba al declarar que «la tiniebla sagrada donde Rusbrock extiende sus alas de águila constituye su océano, su presa, su gloria, y los cuatro horizontes serían para él una vestimenta demasiado estrecha».

Sea como fuere, des Esseintes se sentía atraído por ese espíritu mal equilibrado pero sutil. No se había producido la fusión entre el hábil psicólogo y el piadoso pedante, y esos vaivenes, esas incoherencias mismas constituían la personalidad de ese hombre.

Junto con él, se había formado un pequeño grupo de escritores que trabajaban en el frente de bandera del campo clerical. No pertenecían al grueso del ejército, eran, propiamente hablando, los exploradores de una religión que desconfiaba de gente talentosa como Veuillot, como Hello, porque no le parecían aún lo suficientemente sumisos ni lo suficientemente llanos: en el fondo, necesitaba soldados que no razonaran, tropas de combatientes ciegos, de esos mediocres de los que Hello hablaba con la rabia de un hombre que ha sufrido su yugo. Consecuentemente, el catolicismo se había apresurado a apartar de sus medios de propaganda a uno de sus partidarios, un panfletario furioso que escribía en un lenguaje a la vez exasperado y precioso, coqueto y feroz: Léon Bloy[105], y había expulsado de sus librerías, como a un apestado y un indecente, a otro escritor que, sin embargo, antes se había desgañitado cantando sus alabanzas: Barbey d'Aurevilly[106].

Es cierto que d'Aurevilly era demasiado comprometedor y demasiado díscolo. Los otros, al fin y al cabo, inclinaban la cabeza ante las reprimendas y volvían al redil. Él era el *enfant terrible* no reconocido del partido; corría literariamente detrás de las mujeres, a las que llevaba completamente despechugadas al santuario. El desprecio con que el catolicismo cubre el talento no alcanzaba en

[105] Léon Bloy (1846-1917), unido a Barbey d'Aurevilly, convertido al catolicismo, colaboró en *L'Universe*. Hello tuvo gran influencia sobre él.

[106] Jules Barbey d'Aurevilly (1808-1885) se convirtió al catolicismo riguroso, tras llevar una vida de dandi, influido por Joseph de Maistre.

este caso el grado necesario para que una excomunión en toda regla pusiera fuera de la ley a este extraño servidor que, con el pretexto de honrar a sus maestros, rompía las ventanas de la capilla, jugaba con los copones y ejecutaba danzas grotescas alrededor del sagrario.

Dos obras de Barbey d'Aurevilly apasionaban especialmente a Des Esseintes, *Un cura casado* y *Las diabólicas*. Otras, como *La hechizada, El caballero des Touches* y *Une vieille Maîtresse,* eran ciertamente más ponderadas y más completas, pero dejaban frío a Des Esseintes, que solo se interesaba realmente por las obras enfermizas, minadas e irritadas por la fiebre.

Con estos últimos volúmenes, casi sanos, Barbey d'Aurevilly había navegado constantemente entre esas dos fosas de la religión católica que llegan a unirse: el misticismo y el sadismo.

En estos dos libros, que hojeaba des Esseintes, Barbey había perdido toda prudencia, había soltado las riendas a su montura, y había partido a toda velocidad por los caminos, que había recorrido hasta sus puntos más extremos.

Todo el misterioso horror del Medievo flotaba en ese libro inverosímil, *Un cura casado*[107]; la magia se mezclaba con la religión, el grimorio con la oración y, más implacable, más salvaje que el Diablo, el Dios del pecado original torturaba sin cesar a la inocente Calixte, su reprobada, marcándola con una cruz roja en la frente, como antaño hizo marcar por uno de sus ángeles las casas de los infieles que quería matar.

Diseñadas por un monje en ayunas, presa del delirio, estas escenas se desarrollaban en un estilo caprichoso y convulso. Lamentablemente, entre estas criaturas desequilibradas, lo mismo que

[107] En este libro, publicado en 1865, Calixte, la hija de un sacerdote casado durante la Revolución, se hace carmelita. Su frente está marcada por una cruz roja.

las Copelias galvanizadas de Hoffmann, algunas, como Néel de Néhou[108], parecían haber sido imaginadas en esos momentos de decaimiento que suceden a las crisis, y desentonaban en ese conjunto de locura sombría al que aportaban la comicidad involuntaria que desprende la visión de un pequeño señor de zinc con botas de media caña, tocando un cuerno sobre el pedestal de un reloj.

Después de estas divagaciones místicas, el escritor había tenido un período de calma; luego se produjo una terrible recaída.

Esta creencia de que el hombre es un asno de Buridán, un ser tironeado por dos poderes de igual fuerza, que resultan, alternativamente, vencedores de su alma y vencidos; esta convicción de que la vida humana no es más que un combate incierto librado entre el infierno y el cielo; esta fe en dos seres contrarios, Satanás y Cristo, debía inevitablemente engendrar estas discordias interiores donde el alma, exaltada por una lucha incesante, calentada en cierto modo por las promesas y las amenazas, termina por prostituirse abandonándose a uno de los dos partidos: aquel cuya persecución ha sido la más tenaz.

En *Un cura casado,* Barbey d'Aurevilly cantaba las alabanzas al Cristo vencido por las tentaciones. En *Las diabólicas,* el autor había cedido ante el Diablo, a quien celebraba, y entonces aparecía el satanismo, ese bastardo del catolicismo, que esta religión ha perseguido bajo todas sus formas, con sus exorcismos y sus hogueras durante siglos.

Este estado tan curioso y tan mal definido no puede nacer en el alma de un incrédulo. No consiste únicamente en revolcarse en los excesos de la carne, agudizados por sangrientas sevicias, pues no sería entonces más que una desviación de los sentidos genési-

---

[108] Joven aristócrata que, en *Un cura casado,* pretende a la hija del protagonista (un cura que ha apostatado).

cos, un caso de satiriasis en su punto de madurez suprema; consiste sobre todo en una práctica sacrílega, en una rebelión moral, en una depravación espiritual, en una aberración totalmente ideal, totalmente cristiana; reside también en una alegría temperada por el miedo, en una alegría análoga a esa mala satisfacción de los niños que desobedecen y juegan con materias prohibidas, solo porque sus padres les han prohibido expresamente acercarse a ellas.

En efecto, si no implicara un sacrilegio, el satanismo no tendría razón de ser. Por otra parte, el sacrilegio, que solo tiene sentido en el seno de una religión, solo puede ser intencionado y pertinentemente cometido por un creyente, ya que el hombre no sentiría ninguna alegría al profanar una fe que le fuera o indiferente o desconocida.

La fuerza del satanismo, el atractivo que presenta, reside entonces enteramente en el placer prohibido de dirigir a Satanás los homenajes y las oraciones que se deben a Dios. Reside en la inobservancia de los preceptos católicos, que se siguen, incluso a la inversa, cometiendo, para burlarse más gravemente de Cristo, los pecados más expresamente maldecidos: la profanación del culto y la orgía carnal.

En el fondo, este asunto, al que el marqués de Sade ha legado su nombre, era tan antiguo como la Iglesia. Había azotado en el siglo XVIII, recuperando, por un simple fenómeno de atavismo, las prácticas impías de los aquelarres de la Edad Media.

Solo con haber consultado el *Malleus maleficarum*[109], ese terrible código de Jacob Sprenger, que permitió a la Iglesia exterminar en la hoguera a miles de nigromantes y brujos, des Esseintes veía

[109] También conocida como *Martillo de brujas* (1487), es obra de dos dominicos alemanes, Heinrich Kramer (c. 1430-c. 1505) y Jacob Sprenger (1435-1495). Conoció veintiocho reediciones y fue muy influyente en los juicios contra brujas hasta mediados del siglo XVII.

en el aquelarre todas las prácticas obscenas y todas los blasfemias del satanismo.

Además de las escenas inmundas, de las noches sucesivamente consagradas a los apareamientos lícitos e ilícitos, de las noches ensangrentadas por las bestialidades del celo queridas por el Maligno, des Esseintes encontraba en el aquelarre la parodia de las procesiones, los insultos y amenazas permanentes a Dios, la devoción a su Rival cuando se celebraba, maldiciendo el pan y el vino, la misa negra sobre el lomo de una mujer a cuatro patas, cuya grupa, desnuda y constantemente mancillada, servía de altar y los asistentes comulgaban, por burla, con una hostia negra en la que se hallaba impresa la imagen de un chivo.

Esta descarga de impuras burlas y sucias injurias era manifiesta en el marqués de Sade, que sazonaba sus terribles placeres con sacrílegas ofensas.

Sade gritaba al cielo, invocaba a Lucifer, trataba a Dios de despreciable, de villano, de imbécil, escupía sobre la comunión, intentaba contaminar con bajas suciedades una Divinidad que, esperaba, quisiera condenarlo, mientras declaraba, para desafiarla aún más, que no existía.

Barbey d'Aurevilly rozaba este estado psíquico. Si no iba tan lejos como Sade, profiriendo atroces maldiciones contra el Salvador; si, más prudente o más temeroso, pretendía siempre honrar a la Iglesia, no dejaba de dirigir, como en la Edad Media, sus peticiones al Diablo y se deslizaba, él también, para afrentar a Dios, en la erotomanía demoníaca, forjando monstruosidades sensuales, tomando incluso de *La filosofía en el tocador*[110] cierto episodio que condimentaba con nuevos ingredientes, cuando escribía el cuento *À un dîner d'athées.*

---

[110] Libro del marqués de Sade, publicado anónimamente en 1795.

Este libro, excesivo, deleitaba a des Esseintes; así que había mandado imprimir, en morado de obispo, en un marco de púrpura cardenalicia, sobre un pergamino auténtico bendecido por los auditores de la Rota, un ejemplar de *Las diabólicas* impreso con esos caracteres de «civilidad» cuyas corcheas retorcidas, cuyas rúbricas en colas levantadas y en garras, adoptan una forma satánica.

Después de algunas piezas de Baudelaire, que, a imitación de los cantos vociferados durante las noches de aquelarre, celebraban letanías infernales, este libro era, entre todas las obras de la literatura apostólica contemporánea, el único que testimoniaba esa situación del espíritu, a la vez devota e impía, a la que los retornos de des Esseintes al catolicismo, estimulados por los accesos de neurosis, a menudo lo habían empujado.

Con Barbey d'Aurevilly, terminaba la serie de escritores religiosos. A decir verdad, este paria pertenecía, desde todos los puntos de vista, más a la literatura secular que a la otra, en la que reivindicaba un lugar que se le negaba. Su lenguaje, de un romanticismo desenfrenado, lleno de locuciones torcidas, de giros inusitados, de comparaciones exageradas, levantaba, a latigazos, sus frases, que estallaban, agitando sonoras campanillas a lo largo del texto. En suma, d'Aurevilly aparecía como un semental entre esos castrados que pueblan los establos ultramontanos.

Des Esseintes se hacía estas reflexiones releyendo, aquí y allá, algunos pasajes de este libro y, comparando ese estilo nervioso y variado con el estilo linfático y monótono de sus colegas, pensaba también en esta evolución de la lengua que tan justamente había revelado Darwin.

Mezclado con los profanos, educado en un medio propio de la escuela romántica, al corriente de las obras nuevas, habituado al comercio de las publicaciones modernas, Barbey estaba en posesión de un dialecto que había soportado numerosas y profundas modificaciones, que se había renovado desde el gran siglo.

Confinados en cambio en su territorio, encerrados en idénticas y antiguas lecturas, ignorantes del movimiento literario de los siglos y decididos, si fuera necesario, a cegarse para no verlo, los eclesiásticos empleaban necesariamente un lenguaje inmutable, como ese lenguaje del siglo XVIII que los descendientes de los franceses establecidos en Canadá hablan y escriben todavía fluidamente, sin que ninguna selección de giros o palabras haya podido producirse en su idioma, aislado de la antigua metrópoli y rodeado, por todos los lados, de la lengua inglesa.

En medio de estos pensamientos, el sonido argentino de una campana que tintineaba un pequeño ángelus anunció a des Esseintes que el almuerzo estaba listo. Dejó sus libros, se secó la frente y se dirigió al comedor, diciéndose que, entre todos estos volúmenes que acababa de ordenar, las obras de Barbey d'Aurevilly eran todavía las únicas cuyas ideas y estilo presentaban ese olor rancio, esas manchas mórbidas, esas epidermis magulladas y ese sabor maduro que tanto le gustaba saborear entre los escritores decadentes, latinos y monásticos de las viejas épocas.

Capítulo XIII

La estación se estaba volviendo loca. Todas se confundían ese año; después de las ráfagas y las brumas, aparecieron, emergiendo del horizonte, cielos ardientes como planchas de metal. En dos días, de golpe, al frío húmedo de las nieblas y a los chubascos, siguieron un calor tórrido, una atmósfera de una pesadez atroz. Al igual que si lo atizaran furiosos hurgones, el sol se abrió, como boca de horno, lanzando una luz casi blanca que quemaba la vista. Un polvo de llamas se elevó de los caminos calcinados quemando los árboles secos, tostando los céspedes amarillentos. El reflejo de las paredes encaladas y los hogares encendidos sobre el zinc de las techumbres y en los cristales de las ventanas cegaban. Una temperatura de fundición pesaba sobre la casa de des Esseintes.

Medio desnudo, abrió una ventana, recibiendo una bocanada de horno en plena cara. El comedor, donde se refugió, estaba ardiendo y el aire, enrarecido, hervía. Se sentó, desolado, pues la excitación que lo sostenía desde que se complacía en soñar clasificando sus libros había llegado a su fin.

Como ocurre con todas las personas atormentadas por la neurosis, el calor lo aplastaba; la anemia, mantenida a raya por el frío, retomaba su curso, debilitando el cuerpo agotado por abundantes sudores.

La camisa pegada a la espalda empapada, el perineo húmedo, las piernas y los brazos mojados, la frente inundada y las mejillas surcadas por lágrimas saladas, des Esseintes yacía aniquilado en su sillón. En ese momento, la vista de la carne depositada en la mesa le revolvió el estómago. Mandó retirarla, pidió huevos pasados por agua, mojó unas migas de pan en el huevo, pero al intentar comerlas se le atragantaron. Las náuseas le llegaban a los labios; bebió unas gotas de vino, que le punzaron, como puntas de fuego, el estómago. Se secó la cara; el sudor, hace un momento tibio, fluía ahora frío por las sienes; empezó a chupar unos trozos de hielo para engañar el malestar; fue en vano.

Un abatimiento sin límites lo tumbó contra la mesa. Se levantó sin aire, pero las migas se habían hinchado y subían lentamente obstruyéndole la garganta. Nunca se había sentido tan inquieto, tan desazonado, tan incómodo; además, sus ojos se nublaron, veía doble los objetos, girando sobre sí mismos; pronto las distancias se perdieron; su vaso le pareció estar a una legua. Sabía que era juguete de ilusiones sensoriales, pero era incapaz de reaccionar; fue a tumbarse en el canapé del salón, pero entonces un vaivén de barco navegando lo acunó y el malestar aumentó. Se levantó, y decidió acelerar con un digestivo el paso de esos huevos que lo ahogaban.

Volvió al comedor y, melancólicamente, se comparó, en su cabina, con los pasajeros afectados por los mareos. Se dirigió a trompicones hacia el armario, reparó en un órgano de boca; no lo abrió y cogió del estante más alto una botella de benedictine, que guardaba por su forma y que le sugería pensamientos a la vez suavemente lujuriosos y vagamente místicos.

Pero, por el momento, seguía, indiferente, mirando con un ojo apagado esa botella rechoncha de un verde oscuro, que, en otros momentos, le evocaba a los priores de la Edad Media por su panza monacal, por su cabeza y cuello vestidos con una capucha de pergamino, por su sello de cera roja, cuartelado con tres mitras de plata sobre un campo de azur y lacrado, en el cuello, como una bula, con lazos de plomo, con su etiqueta escrita en un latín resonante sobre un papel amarillento y como descolorido por el tiempo: *Liquor Monachorum Benedictinorum Abbatiae Fiscanensis*[111].

Bajo esta vestimenta completamente abacial, firmada con una cruz y las iniciales eclesiásticas D. O. M.[112], apretado en sus pergaminos y en sus ligaduras, como una auténtica carta otorgada, dormía un licor color azafrán, de una finura exquisita. Exhalaba un aroma sutil de angélica e hisopo mezclado con hierbas yodadas y bromos adormecidos por azúcares, y estimulaba el paladar con un ardor espiritoso, disimulado bajo una golosina toda virginal, toda novicia, y halagaba el olfato con un toque de corrupción envuelto en una caricia a la vez infantil y devota.

Esta hipocresía, que resultaba del extraordinario desacuerdo establecido entre el continente y el contenido, entre la forma litúrgica del frasco y su alma, toda femenina, toda moderna, le había hecho soñar en otros tiempos. Finalmente, había pensado mucho, también delante de la botella, en los monjes que la vendían, en los benedictinos de la abadía de Fécamp, que, perteneciendo a esta congregación de san Mauro, célebre por sus trabajos de historia, militaban bajo la regla de san Benito, pero no seguían las observancias de los monjes blancos de Císter ni de los monjes negros de Cluny. Ineludiblemente, se le aparecían, como en la Edad Media, cultivando plantas medicinales, calentando retortas, resumiendo en alambiques soberanas panaceas, magisterios incontestables.

Bebió solo una gota del licor y experimentó alivio unos minutos; pero pronto ese fuego que una lágrima de vino había prendido en sus entrañas se avivó. Tiró la servilleta, volvió a su despacho

[111] Este licor benedictino, elaborado por los monjes de la abadía de Fécamp, como se lee más abajo, era producido desde 1863 por Alexandre Le Grand, industrial normando.

[112] *Deo Optimo Maximo* (A Dios, lo mejor y lo más grande).

y se paseó de un lado a otro; le parecía estar bajo una campana neumática donde se hacía el vacío a medida que pasaba el tiempo, y una debilidad de una dulzura atroz le bajaba desde el cerebro a todos los miembros. Se puso rígido y, no pudiendo aguantar más, quizá por primera vez desde su llegada a Fontenay, se refugió en el jardín y se cobijó bajo un árbol del que caía una rodaja de sombra. Sentado en el césped, miró con aire aturdido los cuadros de vegetales que los criados habían plantado. Los miraba, y solo después de una hora los percibió, pues una neblina verdosa flotaba ante sus ojos y no le dejaba ver, como en el fondo del agua, más que imágenes imprecisas cuyo aspecto y tonos cambiaban.

Finalmente, recobró el equilibrio, distinguió claramente cebollas y coles; más allá, un cuadro de lechugas y, al fondo, a lo largo del seto, una serie de lirios blancos, inmóviles en la pesadez del aire.

Una sonrisa le frunció los labios, pues, de repente, recordó la extraña comparación del viejo Nicandro[113], que asimilaba, desde el punto de vista de la forma, el pistilo de los lirios a los genitales de un burro, y también le vino a la memoria un pasaje de Alberto Magno, aquel donde el taumaturgo enseña un medio muy singular de saber, usando una lechuga, si una mujer es aún virgen.

Estos recuerdos lo alegraron un poco. Examinó el jardín, interesándose por las plantas, marchitas por el calor, y por la tierra ardiente, que humeaba en la pulverulencia abrasada del aire. Luego, por encima del seto que separaba el jardín del camino elevado que subía al fuerte, vio a unos niños que se revolcaban, a pleno sol, en la luz.

Concentraba su atención en ellos cuando apareció otro, más

[113] Nicandro de Colofón, autor griego que, se supone, vivió en el siglo II a. C. Entre las obras que escribió se han conservado dos poemas didácticos que fueron escritos en hexámetros: *Remedios contra los venenos de los animales* y *Antídotos* o *Alexifarmacas.*

pequeño, de aspecto sórdido. Tenía un cabello como de algas, lleno de arena, dos burbujas verdes debajo de la nariz, labios repugnantes, que sostenían una costra blanca de queso fresco descremado untado en pan y sembrado de picadillo de cebollino verde.

Des Esseintes olió el aire; un antojo, una perversión se apoderó de él; esa inmunda rebanada le hizo la boca agua. Le pareció que su estómago, que rechazaba cualquier comida, digeriría ese horrible manjar y que su paladar lo disfrutaría como un festín.

Se levantó de un salto, corrió a la cocina, mandó a buscar en el pueblo una hogaza, queso fresco y cebollino, pidió que le prepararan una rebanada exactamente igual a la que mordisqueaba el niño y volvió a sentarse bajo su árbol.

Ahora los niños se peleaban. Se arrancaban trozos de pan, que se metían bajo los carrillos, chupándose los dedos. Llovían patadas y puñetazos, y los más débiles, tirados en el suelo, pateaban y lloraban, golpeándose el trasero con las piedras.

El espectáculo reanimó a des Esseintes; el interés que le despertaba la pelea le desviaba los pensamientos de su mal. Ante la ferocidad de esos malvados mocosos, pensó en la cruel y abominable ley de la lucha por la existencia, y, aunque esos niños fueran despreciables, no pudo evitar interesarse por su destino y creer que habría sido mejor para ellos que su madre no los hubiera traído al mundo.

De hecho, todo era sarna, cólicos y fiebres, sarampión y bofetadas desde la primera infancia; patadas y trabajos embrutecedores, alrededor de los trece años; engaños de mujeres, enfermedades y cuernos en la edad adulta. Y también, hacia el ocaso, discapacidades y agonías, en un asilo para mendigos o en un hospicio.

Pero el futuro era, en suma, igual para todos y, ni unos ni otros, si hubieran tenido un poco de sentido común, deberían envidiarse. Los ricos tenían, en un entorno diferente, las mismas pasiones, las mismas preocupaciones, los mismos dolores, las mismas enfermedades y, también, los mismos placeres mediocres, ya fueran alcohólicos, literarios o carnales.

Incluso había una vaga compensación a todos los males, una especie de justicia que restablecía el equilibrio del sufrimiento entre las clases, librando más frecuentemente a los pobres de los sufrimientos físicos, que abrumaban más implacablemente el cuerpo más débil y más consumido de los ricos.

«¡Qué locura engendrar hijos! –se decía des Esseintes–. ¡Y pensar que los eclesiásticos, que han hecho voto de esterilidad, han llevado la inconsecuencia hasta canonizar a san Vicente de Paúl, que reservaba a criaturas inocentes para las inútiles torturas de la vida!»

Gracias a sus odiosas precauciones, el santo había retrasado, durante años, la muerte de seres faltos de inteligencia y sensibilidad, de tal manera que, convertidos más tarde en personas casi dotadas de entendimiento y, en cualquier caso, aptas para el dolor, pudieran prever el futuro, esperar y temer esa muerte, de la que antes ignoraban hasta el nombre, y algunos, incluso, la llamaran por odio a esa condena a la existencia que él les infligía en virtud de un código teológico absurdo.

Y, una vez fallecido el anciano, sus ideas habían prevalecido. Se recogían niños abandonados, en lugar de dejarlos morir suavemente, sin que se dieran cuenta, mientras que esa vida que se les conservaba se volvía, día tras día, más rigurosa y más árida. Bajo el pretexto de libertad y progreso, la sociedad había descubierto el medio de agravar aún más la miserable condición del hombre, arrancándolo de su hogar, vistiéndolo con un disfraz ridículo, dándole armas particulares, embruteciéndolo con una esclavitud idéntica a la de los negros, liberados por compasión hacía tiempo.

Y todo eso para ponerlo en condiciones de asesinar a su prójimo, sin arriesgar el patíbulo[114] como los asesinos ordinarios, que operan solos, sin uniforme, con armas menos ruidosas y menos rápidas.

«¡Qué época tan singular –se decía des Esseintes– esta que, invocando los intereses de la humanidad, busca perfeccionar los anestésicos para suprimir el sufrimiento físico y, al mismo tiempo, prepara estimulantes para agravar el dolor moral! ¡Ah! Si alguna vez, en nombre de la piedad, la procreación inútil debiera ser abolida, ¡este es el momento!»

Pero aquí, también, las leyes dictadas por unos Portalis o unos Homais[115] se oponían, feroces y extrañas.

La Justicia encontraba naturales los fraudes en materia de procreación; era un hecho reconocido, admitido. No había hogar, por rico que fuese, que no confiara sus hijos al lavadero[116] o que no usara artificios que se vendían libremente y que, por otra parte, a nadie se le ocurría reprobar[117]. Y, sin embargo, si esos métodos o subterfugios resultaban insuficientes, si el fraude fallaba y, para repararlo, se recurría a medidas más eficaces, ¡ah!, entonces, no había suficientes prisiones, ni casas centrales[118], ni trabajos forzados para encerrar a unas personas a las que otros individuos, que esa misma noche, en el lecho conyugal, hacían trampas para no engendrar niños[119], condenaban, convencidos de obrar de buena fe.

---

[114] Perífrasis para referirse a los ejércitos.

[115] Jean-Étienne-Marie Portalis (1746-1807), uno de los redactores del Código Civil, que protege a las familias, opinaba que el matrimonio tiene por objeto perpetuar la especie humana. Homais es el personaje del farmacéutico ateo de *La señora Bovary* (1865), de Gustave Flaubert.

[116] Referencia a los lavados vaginales para impedir la fecundación

[117] La fabricación industrial del preservativo data de mediados del siglo XIX.

[118] Establecimientos penitenciarios donde se agrupaban los penados que debían cumplir más de un año y un día de prisión.

[119] Alude ahora a la contraconcepción después de haber aludido al aborto («medidas más eficaces»), señalando el contrasentido.

De modo que, el fraude mismo no era un crimen, pero sí lo era la reparación del posible fallo de esa superchería.

En suma, la sociedad consideraba un crimen el hecho de matar a un ser dotado de vida, y, sin embargo, permitía estrangular a un perro o un gato recién nacido, siendo así que, al expulsar un feto, se destruía un animal menos formado, menos vivo y, con seguridad, menos inteligente y más feo.

«Es bueno añadir –pensaba des Esseintes–, en aras de la equidad, que no es el hombre torpe, que generalmente se apresura a desaparecer, sino la mujer, víctima de la torpeza, quien expía el delito de haber salvado de la vida a un inocente. ¡Solo un mundo lleno de prejuicios puede llegar a reprimir maniobras tan naturales que, incluso el hombre primitivo, el salvaje de la Polinesia, llevado de su instinto, practica con naturalidad!»

El criado, al traer en una bandeja de plata dorada la rebanada solicitada, interrumpió las caritativas reflexiones que rumiaba des Esseintes. Una arcada le retorció el estómago; no tuvo el valor de morder ese pan porque la excitación enfermiza de su estómago había cesado. Una sensación de terrible deterioro lo invadió; tuvo que levantarse; el sol giraba y poco a poco llegaba al meridiano; el calor se volvía a la vez más pesado y más activo.

–Tire la tostada –dijo al criado– a esos niños que se matan en la carretera; que los más débiles queden lisiados, no reciban ningún trozo y sean, además, severamente castigados por sus padres cuando vuelvan a casa con los pantalones rotos y los ojos magullados; eso les dará una idea de la vida que les espera. –Se metió en la casa y se desplomó, desfallecido, en un sillón. «Sin embargo, debo intentar comer un poco», se dijo. Y probó a mojar un bizcocho en un viejo Constantia de J.-P. Cloete, del que le quedaban algunas botellas en la bodega.

Este vino, color de cáscara de cebolla un poquito tostada, con algo de rancio de málaga y oporto, pero con un buqué dulce, especial, y un regusto de uvas con jugos condensados y sublimados por ardientes soles, a veces lo había reconfortado y, a menudo, incluso, había infundido nueva energía a su estómago debilitado por los ayunos forzados que sufría; pero ese amigo, habitualmente tan fiel, fracasó. Entonces pensó que tal vez un emoliente le enfriaría los hierros candentes que lo quemaban, y recurrió al nalifka, un licor ruso contenido en una botella glaseada de oro mate. Ese jarabe untuoso y aframbuesado también fue ineficaz. ¡Ay! Qué lejos quedaba el tiempo en que disfrutaba de buena salud, cuando subía a su casa en trineo y en plena canícula: allí, envuelto en pieles, se esforzaba en tiritar, diciéndose, mientras intentaba que los dientes le castañetearan: «¡Ah! Este viento es glacial. ¡Aquí se hiela uno!». ¡Y casi lograba convencerse de que hacía frío!

Desgraciadamente, esos remedios ya no actuaban desde que sus males se volvían reales.

No tenía, además, el recurso del láudano; en lugar de apaciguarlo, ese calmante lo irritaba hasta privarlo de descanso. En otro tiempo, había querido procurarse visiones con el opio y el hachís, pero esas dos sustancias le habían provocado vómitos y perturbaciones nerviosas intensas. Tuvo que renunciar inmediatamente a tomarlas y pedir a su cerebro que, sin la ayuda de esos burdos excitantes, lo llevara lejos de la vida, al mundo de los sueños.

«¡Menudo día!», se decía ahora, secándose el cuello, sintiendo que las fuerzas que le quedaban se disolvían en nuevos sudores.

Una agitación febril seguía impidiéndole quedarse quieto en un sitio; una vez más, se puso a vagar por las habitaciones, probando, uno tras otro, todos los asientos. Cansado de la lucha, acabó desplomándose delante de su escritorio y, apoyado en la mesa, maquinalmente, sin pensar en nada, manipuló un astrolabio colocado, a modo de pisapapeles, sobre un montón de libros y notas.

Había comprado este instrumento de cobre grabado y dorado, de origen alemán, que databa del siglo XVII, en un anticuario de París, después de una visita al Museo de Cluny, donde se había extasiado largamente frente a un maravilloso astrolabio tallado en marfil cuya apariencia cabalística le había encantado.

Este pisapapeles removió en él todo un enjambre de reminiscencias. Decidido y movido por el aspecto de esta joya, su pensamiento viajó desde Fontenay hasta París, al bazar en que se lo habían vendido. Luego retrocedió hasta el Museo de las Termas[120] y, mentalmente, volvió a ver el astrolabio de marfil, mientras sus ojos continuaban contemplando, pero sin ver realmente, el de cobre de encima de su mesa.

Luego salió del Museo y, sin abandonar la ciudad, dio un paseo, vagabundeó por la calle de Sommerard y el bulevar Saint-Michel, se internó en las calles adyacentes y se detuvo delante de algunas tiendas cuya frecuencia y peculiar disposición le habían impresionado muchas veces. Iniciado a propósito de un astrolabio, este viaje espiritual terminaba en los cafetines del Barrio Latino. Recordaba la abundancia de estos establecimientos en toda la calle Monsieur-le-Prince y en ese tramo de la calle Vaugirard que llega hasta el Odeón. A veces, se sucedían como los antiguos *riddecks*[121] de la calle del Canal-aux-Harengs, de Amberes, que se extendían, uno a continuación del otro, invadiendo las aceras con escaparates casi iguales.

A través de las puertas entreabiertas y de las ventanas mal os-

---

[120] Otro nombre del Museo de Cluny, donde se encuentran los vestigios de las antiguas termas de Lutecia.

[121] Cafés con baile donde se juntaban chicas de alterne y, especialmente, marineros. No eran, propiamente, lugares de prostitución: la función de las chicas era animar a consumir a los clientes. En la época, el barrio de los *riddecks* de Amberes era famoso.

curecidas por cristales tintados o cortinas, recordaba haber entrevisto mujeres que andaban medio arrastrándose y estirando el cuello, como los gansos; otras, postradas en los bancos, se desgastaban los codos en el mármol de las mesas y murmuraban, canturreando, con las sienes entre los puños; otras más se contoneaban frente a los espejos, tocando con la punta de los dedos sus cabellos falsos, lustrados por un peluquero; y otras, en fin, sacaban de grandes bolsas de cuero con cierres de resortes montones de monedas blancas y de cobre, que alineaban, metódicamente, en pequeños montones.

La mayoría tenía rasgos vulgares, voces roncas, gargantas fofas y ojos pintados; y todas, parecidas a autómatas a los que hubieran dado cuerda al mismo tiempo con la misma llave, lanzaban invitaciones con el mismo tono, recitaban con la misma sonrisa las mismas frases absurdas, las mismas reflexiones barrocas.

En la cabeza de des Esseintes se iban asociando las ideas, lo que le permitía llegar a una conclusión, ahora que abarcaba con el recuerdo, a vista de pájaro, este amasijo de cafetines y calles.

Comprendía el significado de estos cafés, que respondían al estado de ánimo de toda una generación, y deducía de ello la síntesis de la época.

Y, en efecto, los síntomas eran claros y evidentes; las casas de tolerancia desaparecían y, por cada una que cerraba, un cafetucho abría sus puertas.

Esta disminución de la prostitución reglamentada en favor de los amores clandestinos se debía evidentemente a las incomprensibles ilusiones de los hombres, desde el punto de vista carnal.

Por monstruoso que pudiera parecer, el cafetín satisfacía un ideal.

Aunque las inclinaciones utilitarias transmitidas por la herencia y desarrolladas por las precoces groserías y las constantes brutalidades de los colegios hubieran hecho a la juventud contemporánea singularmente mal educada y también singularmente calculadora y fría, en el fondo de los corazones se había conservado una vieja flor azul, latía un viejo ideal de afecto, inveterado y vago.

Hoy, esta juventud, cuando le hervía la sangre, tenía reparos en entrar, consumir, pagar y salir; eso era, a sus ojos, bestialidad, lujuria de perro cubriendo sin preámbulos a una perra. Además, la vanidad quedaba insatisfecha al salir de una de esas casas de tolerancia, donde no había habido ni simulacro de resistencia, ni apariencia de victoria, ni preferencia esperada, ni siquiera una liberalidad obtenida de la vendedora que racionara sus ternuras según los precios. Por el contrario, la corte hecha a una chica de un bar o una cervecería tenía en cuenta todas las susceptibilidades del amor, todas las delicadezas del sentimiento. A esta se la disputaban, y aquellos a quienes consentía en conceder, a cambio de copiosos salarios, una cita, se imaginaban, convencidos, haber derrotado a un rival, ser el objeto de una distinción honorífica, de un favor raro.

Sin embargo, estos servicios eran tan torpes, tan interesados, tan viles y causaban tanto hastío como los que se ofrecían en las casas de tolerancia. Lo mismo que una chica de burdel, la de un cafetín bebía sin sed, reía sin motivo, afectaba deleitarse con las caricias de un obrero, se insultaba y se tiraba del pelo sin causa alguna. A pesar de todo, desde siempre, la juventud parisina no se había dado cuenta aún de que las chicas de los cafetines eran, desde el punto de vista de la belleza plástica, de las maneras sabias y del atuendo, muy inferiores a las mujeres que atendían en salones de lujo.

«¡Dios mío! –se decía des Esseintes–. ¡Qué estúpidos son todos esos que revolotean por cervecerías y bares! Además de sus ridículas ilusiones, llegan incluso a olvidar el peligro de los encantos degradados y sospechosos, a no tener en cuenta el dinero gastado en un número de consumiciones, fijado de antemano por la patrona, ni el tiempo perdido esperando una entrega que se retrasa para aumentar, así, su precio, ni las repetidas dilaciones para activar el juego de las propinas.»

Este sentimentalismo imbécil, combinado con una ferocidad práctica, representaba el pensamiento dominante del siglo. Esas mismas personas que habrían dejado tuerto a su prójimo por ganar diez centavos perdían toda lucidez, todo olfato, frente a esas turbias camareras que los acosaban sin piedad y los esquilmaban sin tregua. Las industrias florecían, las familias se estafaban unas a otras con el pretexto del comercio, para luego dejarse birlar el dinero por sus hijos, quienes, a su vez, se dejaban estafar por estas mujeres a las que esquilmaban, en última instancia, sus chulos.

Por todo París, de este a oeste y de norte a sur, no había más que cadenas ininterrumpidas de estafas, una serie de robos organizados que repercutían unos en otros, como carambolas, y todo porque, en lugar de satisfacer a los clientes inmediatamente, sabían cómo pedirles paciencia y hacerles esperar.

En el fondo, la astucia humana se resumía en dilatar los tiempos; en decir no y luego sí. Pues solo se maneja a las generaciones dando largas a sus asuntos.

–¡Ah! Si fuera tan fácil con mi estómago –suspiró des Esseintes, retorciéndose por un retortijón que devolvía sus pensamientos, perdidos a lo lejos, a la realidad de Fontenay.

Capítulo XIV

Transcurrieron, mal que bien, unos días gracias a algunas artimañas que lograron engañar la desconfianza del estómago, pero una mañana des Esseintes –su estómago– no pudo ya aceptar los marinados, que ocultaban el olor a grasa y el aroma a sangre de las carnes, y, ansioso, se preguntó si su ya considerable debilidad no iba a aumentar y obligarlo a quedarse en cama. Una luz repentina brilló en su angustia; recordó que un amigo suyo, en otro tiempo muy enfermo, había logrado, con la ayuda de un digestor, frenar la anemia, detener el deterioro y conservar su escasa fuerza.

Envió a su criado a París en busca de ese valioso instrumento y, siguiendo el prospecto que el fabricante adjuntaba, él mismo enseñó a la cocinera cómo cortar el rosbif en pequeños trozos, ponerlos sin agua en la olla de estaño, junto con unas rodajas de puerro y zanahoria, atornillar luego la tapa y ponerlo todo a hervir al baño maría durante cuatro horas.

Al cabo de ese tiempo, se exprimían los filamentos y se tomaban unas cucharadas del jugo turbio y salado que se depositaba en el fondo de la olla. Entonces se sentía algo como un cálido tuétano, como una caricia aterciopelada, descender al estómago.

Esta esencia detenía las punzadas y las náuseas del vacío, incluso estimulaba el estómago, que no se negaba a aceptar unas cuantas cucharadas de sopa.

Gracias a este digestor, la neurosis se detuvo y des Esseintes pensó: «Algo hemos ganado. Tal vez la temperatura cambie, el cielo vierta un poco de ceniza sobre este sol execrable que me agota, y pueda llegar así, sin demasiados inconvenientes, a las primeras nieblas y los primeros fríos».

En esa somnolencia, en ese aburrimiento desocupado en el que se sumergía, su biblioteca, cuya ordenación seguía pendiente, le irritaba. Sin moverse del sillón, tenía constantemente a la vista sus libros profanos, colocados de cualquier manera en los estantes, unos molestando a otros, apoyándose unos en otros, como castillos de naipes desmoronados. Este desorden le chocaba aún más porque contrastaba con el perfecto equilibrio de las obras religiosas, cuidadosamente alineadas como soldados a lo largo de las paredes.

Intentó poner fin a esa confusión, pero después de diez minutos de trabajo, estaba bañado en sudor. El esfuerzo lo agotaba; se tendió, exhausto, en un diván y llamó al criado.

Siguiendo sus indicaciones, el vejete se puso a la obra llevándole, uno a uno, los libros, a los que, una vez examinados, asignaba un sitio.

Esta tarea fue de corta duración, ya que la biblioteca de des Esseintes contenía un número singularmente restringido de obras laicas y contemporáneas.

A fuerza de pasarlas por su cerebro, como se pasan las bandas de metal por una hilera de acero de la que salen tenues, ligeras, casi reducidas a hilos imperceptibles, había terminado por hacerse solo con libros que resistieran tal tratamiento y fueran lo suficientemente sólidos para soportar el laminado en frío de una nueva lectura. Al querer afinar tanto, había restringido y casi esterilizado todo disfrute, acentuando aún más el irremediable conflicto que existía entre sus ideas y las del mundo en que el azar lo había hecho nacer. Había llegado ahora a tal punto que ya no podía descubrir un escrito que satisficiera sus deseos secretos; e incluso su admiración se alejaba de los volúmenes que tanto habían contribuido a agudizar su pensamiento, a hacerle tan suspicaz y tan sutil.

En arte, sus ideas partían de un punto de vista simple. Para él, las escuelas no existían; solo le importaba el temperamento del escritor; solo le interesaba el trabajo de su cerebro, sin importar el tema que abordara. Desgraciadamente, esta verdad de apreciación, digna de Perogrullo, era casi inaplicable por el simple motivo de que, a pesar de desear liberarse de los prejuicios y abstenerse de toda pasión, uno se inclina preferentemente hacia las obras que se corresponden más íntimamente con su propio temperamento y termina relegando todas las demás.

Este trabajo de selección se había operado en él lentamente. Tiempo atrás, había adorado al gran Balzac, pero, al mismo tiempo que su organismo se desequilibraba, que los nervios tomaban el control, sus inclinaciones se modificaban y sus admiraciones cambiaban. Pronto, aunque se daba cuenta de que era injusto con el prodigioso autor de *La comedia humana,* dejó de abrir sus libros, cuyo arte vigoroso le molestaba; otras aspiraciones lo agitaban ahora, que se volvían, en cierto modo, indefinibles.

No obstante, al analizarse con profundidad, comprendía, primero, que, para atraerlo, una obra debía revestir ese carácter de extrañeza que reclamaba Edgar Poe. Pero iba gustosamente más lejos por ese camino y pedía flores bizantinas del intelecto y delicuescencias complicadas del lenguaje. Quería una incertidumbre perturbadora sobre la que pudiera soñar, hasta hacerla, a voluntad, más vaga o más firme, según el estado momentáneo de su alma. Quería, en suma, una obra de arte tanto por lo que era en sí misma como por lo que podía darle, quería caminar con ella, gracias a ella, como sostenido por una ayudante, como llevado por un vehículo, en una esfera donde las sensaciones sublimadas le imprimieran una conmoción inesperada de la que buscar por mucho tiempo e incluso analizar, aun vanamente, las causas.

Desde su partida de París, en fin, se alejaba cada vez más de la realidad y, sobre todo, del mundo contemporáneo, por el que tenía un creciente horror. Este odio había influido necesariamente en sus gustos literarios y artísticos, y él se alejaba lo más posible de los cuadros y libros cuyos temas, limitados, se referían a la vida moderna.

Así, al perder la facultad de admirar sin prejuicios la belleza bajo cualquier forma que se presentara, prefería, en Flaubert, *La tentación de san Antonio* a *La educación sentimental;* en de Goncourt, *La Faustin* a *Germinie Lacerteux;* en Zola, *La falta del abate Mouret* a *La taberna.*

Este punto de vista le parecía lógico. Estas obras menos inmediatas, pero igualmente vibrantes, igualmente humanas, hacían que penetrase más profundamente en el temperamento de estos maestros, que entregaban con un abandono más sincero los impulsos más misteriosos de su ser, y lo elevaban, a él también, más alto que las otras, fuera de esta vida trivial de la que estaba tan cansado.

A través de ellas entraba en completa comunión de ideas con los escritores que las habían concebido porque, en ese momento, se encontraban en una situación de espíritu análoga a la suya.

De hecho, cuando la época en que un hombre de talento se ve obligado a vivir es plana y estúpida, el artista se siente, incluso sin saberlo, acosado por la nostalgia de otro siglo.

No pudiendo armonizarse más que en raros intervalos con el medio en que se mueve, no descubriendo en el examen de este medio y de las criaturas que lo sufren suficientes placeres de observación y análisis que lo distraigan, siente brotar y florecer en él fenómenos particulares. Le surgen deseos confusos de migración, que se aclaran con la reflexión y el estudio. Los instintos, las sensaciones, las inclinaciones heredadas se despiertan, se precisan, se imponen con una imperiosa certeza. Tiene recuerdos de seres y cosas que no ha conocido personalmente, y llega un momento en que se evade violentamente de la cárcel de su siglo y vaga, libérrimamente, en otra época con la que, por una última ilusión, le parece que habría estado en mejor armonía.

En unos, es un retorno a las edades consumadas, a las civilizaciones desaparecidas, a los tiempos muertos; en otros, un impulso hacia lo fantástico y el sueño, una visión más o menos intensa de un tiempo por nacer, cuya imagen reproduce la de las épocas pasadas, sin que él lo sepa, por un efecto de atavismo.

En Flaubert había cuadros solemnes e inmensos, pompas grandiosas en cuyo marco bárbaro y espléndido gravitaban criaturas palpitantes y delicadas, misteriosas y altivas; mujeres dotadas de atributos, en la perfección de su belleza; almas sufrientes, en el fondo de las cuales discernía espantosos desequilibrios, locas aspiraciones, desoladas como estaban por la amenazante mediocridad de los placeres que podían surgirles.

Todo el temperamento del gran artista estallaba en esas incomparables páginas de *La tentación de san Antonio* y *Salambó*[122], donde, lejos de nuestra vida mezquina, evocaba los esplendores asiáticos de los viejos tiempos, sus éxtasis y abatimientos místicos, sus demencias ociosas, sus ferocidades comandadas por ese pesado tedio que proviene, antes de ser siquiera agotadas, de la opulencia y la oración.

En de Goncourt, había la nostalgia del siglo anterior, una vuel-

---

[122] *Salambó* (1862) tiene por marco la Cartago del siglo III a. C. y *La tentación de san Antonio* (1874) se desarrolla en el Egipto del siglo III d. C.

ta a las elegancias de una sociedad perdida para siempre. El gigantesco decorado de mares golpeando los malecones, de desiertos extendiéndose hasta donde alcanza la vista bajo firmamentos tórridos, no existía en su obra nostálgica, que se confinaba, cerca de un parque áulico, en un tocador templado por los voluptuosos efluvios de una mujer de sonrisa fatigada, mueca perversa y pupilas insumisas y pensativas. El alma con que animaba a sus personajes no era ya esa alma que Flaubert insuflaba en sus criaturas, esa alma rebelde de antemano por la inexorable certeza de que ninguna felicidad nueva es posible: era un alma que se rebelaba después de los hechos, por la experiencia, por todos los esfuerzos inútiles que había intentado para inventar relaciones espirituales nuevas e inéditas y para remediar esa inmemorial dicha que se repite, de siglo en siglo, en la satisfacción más o menos ingeniosa de las parejas.

Aunque viviera entre nosotros y fuera en cuerpo y vida de nuestro tiempo, la Faustin era, por influencias ancestrales, una criatura del siglo pasado, del que tenía las especias del alma, el cansancio cerebral, la extenuación sensual.

Este libro de Edmond de Goncourt era uno de los volúmenes más acariciados por des Esseintes. Y, en efecto, esa incitación al sueño que él reclamaba desbordaba en este, donde, por debajo de la línea escrita, se percibía otra línea visible solo para el espíritu, indicada por un calificativo que abría escapadas de pasión, por una reticencia que dejaba adivinar infinitos del alma que ningún idioma habría podido colmar. Además, no era ya el lenguaje de Flaubert, ese lenguaje de una magnificencia inimitable: era un estilo perspicaz y mórbido, nervioso y retorcido, diligente para anotar la impalpable impresión que golpea los sentidos y determina la sensación, un estilo experto en modular los complicados matices de una época que era en sí misma singularmente compleja. En resumen, era el verbo indispensable a las civilizaciones decadentes que, para expresar sus necesidades, exigen, a cualquier edad en que se produzcan, acepciones, giros, nuevas alforjas de frases y de palabras.

En Roma, el paganismo moribundo había modificado su prosodia, transmutado su lengua, con Ausonio, con Claudiano, con Rutilio[123], cuyo estilo atento y meticuloso, embriagador y resonante, presentaba, especialmente en sus partes descriptivas, reflejos, sombras, matices, una necesaria analogía con el estilo de las de Goncourt.

En París, se había producido un hecho único en la historia de la literatura. Esa sociedad agonizante del siglo XVIII, que había tenido pintores, escultores, músicos, arquitectos, impregnados de sus gustos, imbuidos de sus doctrinas, no había podido alumbrar un verdadero escritor que diera cuenta de sus elegancias moribundas, que expresara la esencia de sus alegrías febriles, tan duramente expiadas. Había sido necesario esperar la llegada de de Goncourt, cuyo temperamento estaba hecho de recuerdos, de añoranzas avivadas aún más por el doloroso espectáculo de la miseria intelectual y las bajas aspiraciones de su tiempo, para que, no solo en sus libros de historia, sino también en una obra nostálgica como *La Faustin,* pudiera resucitar el alma misma de esa época, encarnar sus delicadezas nerviosas en esa actriz, tan atormentada, tan dispuesta a oprimirse el corazón y exprimirse el cerebro para saborear, hasta el agotamiento, los dolorosos revulsivos del amor y del arte.

En Zola, la nostalgia de los más allá era diferente. No había en él ningún deseo de migración hacia regímenes desaparecidos, hacia universos perdidos en la noche de los tiempos; su temperamen-

[123] Los tres aparecen en el capítulo III.

to, poderoso, sólido, prendado de las exuberancias de la vida, de las fuerzas sanguíneas, de las saludes morales, lo alejaba de las gracias artificiales y las clorosis maquilladas del último siglo, así como de la solemnidad hierática, de la brutal ferocidad y de los sueños afeminados y ambiguos del antiguo Oriente. El día en que a él también le obsesionó esa nostalgia, esa necesidad, que es en definitiva la poesía misma, de huir lejos de este mundo contemporáneo que tan a fondo estudiaba, se fue a una campiña, donde la savia bullía a pleno sol; pensó en fantásticos ritos celestiales, en largos desmayos de la tierra, en fecundantes lluvias de polen cayendo en los órganos jadeantes de las flores: había llegado a un panteísmo gigantesco, había creado, quizá sin saberlo, con ese medio edénico donde situaba a su Adán y a su Eva, un prodigioso poema hindú, celebrando, en un estilo cuyos amplios tintes, aplicados en crudo, tenían como un extraño brillo de pintura india, el himno de la carne, de la materia animada viviente, revelando, por su furia de generación, a la criatura humana, el fruto prohibido del amor, sus sofocaciones, sus instintivas caricias, su naturales formas.

Con Baudelaire, estos tres maestros eran, en la literatura francesa moderna y profana, los que mejor habían penetrado y modelado el espíritu de des Esseintes, pero, al releerlos tanto, al haberse saturado de sus obras, al conocerlas de memoria, por completo, tuvo que esforzarse en olvidarlas y dejarlas durante algún tiempo en sus estantes, en reposo, para poder absorberlas mejor más adelante.

Así que ahora apenas las abría cuando el criado se las tendía. Se limitaba a indicar el lugar que debían ocupar, asegurándose de que estuvieran clasificadas en buen orden y a su gusto.

El criado le trajo una nueva serie de libros; estos le oprimieron más. Eran libros hacia los cuales se había ido inclinando poco a poco, libros que le descansaban de la perfección de los escritores de mayor envergadura, precisamente por sus defectos. Aquí, una vez más, al querer afinar su búsqueda, des Esseintes había llegado a encontrar, entre páginas turbias, frases que emanaban una especie de electricidad que le estremecía cuando descargaban su fluido en un medio que parecía en principio refractario.

La propia imperfección le agradaba, siempre y cuando no fuera ni parasitaria ni servil, y tal vez había una dosis de verdad en su teoría de que el escritor subalterno de la decadencia, el escritor personal sí, pero incompleto, destila un bálsamo más irritante, más apetitoso, más ácido, que el artista de la misma época verdaderamente grande, realmente perfecto. En su opinión, era entre sus turbulentos esbozos donde se percibían las exaltaciones más agudas de la sensibilidad, los caprichos más morbosos de la psicología, las depravaciones más exageradas de la lengua, intimada, en sus últimos rechazos, a contener, a envolver las sales efervescentes de las sensaciones y las ideas.

Así, necesariamente, después de los maestros, se dirigía a algunos escritores que se le hacían aún más propicios y queridos por el desprecio en que los tenía un público incapaz de comprenderlos.

Uno de ellos, Paul Verlaine, se había dado a conocer hacía tiempo con un volumen de versos, los *Poemas saturnianos,* un volumen poco vigoroso, donde se codeaban pastiches de Leconte de Lisle con ejercicios de retórica romántica, pero donde ya se filtraba, a través de ciertas piezas, como el soneto titulado *Sueño familiar,* la auténtica personalidad del poeta.

Al buscar sus antecedentes, des Esseintes encontraba, bajo las incertidumbres de los esbozos, un talento ya profundamente impregnado de Baudelaire, cuya influencia se acentuaría más tarde sin que, no obstante, la dádiva consentida por el maestro infalible fuera flagrante.

Después, en algunos de sus libros, *La buena canción, Las fiestas galantes, Romances sin palabras* y, en fin, su último volumen, *Sensatez,* había poemas donde se revelaba el escritor original, destacándose entre la multitud de sus colegas.

Provisto de rimas obtenidas con tiempos verbales, a veces incluso con cadenas de adverbios precedidos de un monosílabo del que caían, como del borde de una piedra en una cascada pesada de agua, su verso, cortado por cesuras inverosímiles, se volvía a menudo singularmente abstruso, con sus audaces elipsis y sus extrañas incorrecciones, que no carecían, sin embargo, de gracia.

Manejando mejor que nadie la métrica, había intentado rejuvenecer los poemas de estructura fija: el soneto, al que daba la vuelta, con la cola en el aire[124], como ciertos peces japoneses en arcilla policromada, puestos sobre sobre una peana, con las agallas hacia abajo; o bien lo pervertía, emparejando solo rimas masculinas por las que parecía sentir afecto. También, y a menudo, había usado una forma extraña, una estrofa de tres versos en la que el del medio quedaba sin rima, y un terceto, monorrimo, seguido de un único verso, lanzado a modo de estribillo y haciéndose eco consigo mismo, como en los versos «Bailemos la giga». Había recurrido también otros a ritmos donde el timbre, casi desvanecido, solo se oía en estrofas lejanas, como un sonido apagado de campana.

Pero su personalidad residía sobre todo en esto: había podido expresar vagas y deliciosas confidencias, a media voz, en el crepúsculo. Solo él había podido dejar entrever ciertos más allá inquietantes del alma, susurros tan bajos de pensamientos, confesiones tan murmuradas, tan interrumpidas, que el oído que las percibía dudaba, deslizando en el alma languideces avivadas por el misterio

---

[124] Poniendo los tercetos delante de los cuartetos, como en «Resignación» *(Poemas saturnianos).*

de ese soplo más adivinado que sentido. Todo el acento de Verlaine estaba en estos adorables versos de *Las fiestas galantes:*

> La noche llegaba, una noche equívoca de otoño,
> las bellas, colgándose, soñadoras, de nuestros brazos,
> dijeron palabras tan especiosas en voz baja
> que nuestra alma desde entonces tiembla y se asombra.

No era ya el inmenso horizonte abierto por las inolvidables puertas de Baudelaire; era, bajo una luz de luna, una rendija entreabierta sobre un campo más reducido y más íntimo, particular del autor, que había formulado, además, en estos versos, de los que des Esseintes era goloso, su sistema poético:

> Pues queremos siempre el matiz,
> no el color, solo el matiz.
> [...]
> Y todo lo demás es literatura

Des Esseintes había acompañado a Verlaine con gusto en sus obras más diversas. Después de sus *Romances sin palabras,* publicados en la imprenta de un periódico en Sens, Verlaine había callado durante bastante tiempo, y luego había reaparecido con unos versos encantadores en los que podía verse el dulce y tierno acento de Villon, cantando a la Virgen, «lejos de nuestros días de espíritu carnal y de carne triste». Des Esseintes releía a menudo el libro *Sensatez,* y se sugería ante sus poemas ensueños clandestinos, ficciones de un amor oculto por una Madonna bizantina que se transformaba, en cierto momento, en una Cydalise[125]

[125] Nombre genérico de las jóvenes que frecuentaban «la bohemia del Deanato» (en

perdida en nuestro siglo, tan misteriosa y tan turbadora que no se podía saber si aspiraba a depravaciones tan monstruosas que se volverían irresistibles, apenas realizadas; o bien si se precipitaba, ella misma, en el sueño, en un sueño inmaculado, en el que la adoración del alma flotaría a su alrededor, en un estado continuamente inconfesado, continuamente puro.

También otros poetas le inducían a confiar en ellos: Tristan Corbière[126], quien, en 1873, ante la indiferencia general, había publicado un volumen de lo más excéntrico, titulado *Los amores amarillos*. Des Esseintes, que por odio a lo banal y a lo común habría aceptado las locuras más desaforadas, las extravagancias más barrocas, vivía horas ligeras con este libro donde lo cómico se mezclaba con una energía desordenada, donde versos desconcertantes estallaban en poemas de una perfecta oscuridad, como las *Letanías del sueño,* que calificaba, en cierto momento, de «obsceno confesor de devotas mortinatas».

Apenas era francés, el autor hablaba negro[127], procedía con un lenguaje telegráfico, abusaba de las supresiones de verbos, afectaba socarronería, se entregaba a unas burlas de viajante de comercio insoportable; luego, en este desorden, se retorcían sutilezas divertidas, poses equívocas, y, de pronto, surgía un grito de dolor agudo, como una cuerda de violonchelo que se rompe. Con todo esto, en ese estilo rocoso, seco, desecado a propósito, erizado de vocablos inusuales, de neologismos inesperados, fulguraban hallazgos de expresión, versos nómadas con la rima amputada, magníficos.

---

francés, *la bohème du Doyenné),* entre cuyos miembros se encontraban Théophile Gautier, Gérard de Nerval y Arsène Houssaye. El Deanato era una zona de París, alrededor de la plaza del Carrousel.

126 Tristan Corbière (1845-1875), muerto de tuberculosis a los 29 años, fue un poeta bretón ignorado hasta que Paul Verlaine lo incluyó en su libro de crítica literaria *Los poetas malditos*.

127 Expresión empleada en Francia para designar el «francés aproximado» de la población negra de las colonias.

Finalmente, aparte de sus *Poemas parisinos,* de donde Des Esseintes destacaba esta profunda definición de la mujer:

Eterno femenino del eterno atontado

Tristan Corbière había celebrado, en un estilo de una concisión casi poderosa, el mar de Bretaña, los burdeles para marineros, el Perdón de santa Ana[128], y hasta se había elevado a la elocuencia del odio, llenando de insultos, a propósito del campamento de Conlie, a los individuos que designaba como «feriantes del Cuatro de Septiembre[129]».

Esta putrefacción a la que era aficionado y que le presentaba este poeta, con epítetos crispados, con bellezas que permanecían siempre en un estado un poco sospechoso, des Esseintes la encontraba también en otro poeta, Théodore Hannon[130], un discípulo de Baudelaire y de Gautier, al que movía un sentido muy especial de las elegancias rebuscadas y de las alegrías artificiales.

Contrariamente a Verlaine, que derivaba directamente de Baudelaire, especialmente por el lado psicológico, por el matiz engañoso del pensamiento, por la docta quintaesencia del sentimiento, Théodore Hannon descendía del maestro sobre todo por el lado plástico, por la visión exterior de los seres y las cosas.

Su encantadora corrupción correspondía fatalmente a las inclinaciones de des Esseintes, quien, en los días de niebla, en los días de lluvia, se recluía en el retiro imaginado por este poeta y se em-

---

[128] Procesión con que se celebra a santa Ana, patrona de Bretaña, el 26 de julio.

[129] Tras la capitulación de Napoleón III ante Prusia el 2 de septiembre de 1870 en Sedan, se proclamó la República el 4 se septiembre. Los republicanos quisieron continuar la guerra, que acarreó pérdidas enormes de militares, la mayoría bretones acampados en Conlie, y civiles. Corbière responsabilizaba del desastre al gobierno republicano.

[130] Théodore Hannon (1851-1916), poeta y pintor belga amigo de Huysmans, cuya obra fue rápidamente olvidada.

briagaba la vista con los brillos de sus telas, con las incandescencias de sus piedras, con sus suntuosidades exclusivamente materiales, que contribuían a las incitaciones cerebrales y ascendían, como un polvo de cantárida en una nube de incienso cálido, hacia una ídolo bruselense, con el rostro maquillado y el vientre curtido con perfumes.

A excepción de estos poetas y de Stéphane Mallarmé, que ordenó apartar a su criado para clasificarlo por separado, des Esseintes se sentía solo muy débilmente atraído por los poetas.

A pesar de su forma magnífica, a pesar de la imponente elegancia de sus versos, que se levantaban con tal esplendor que los hexámetros de Hugo parecían, en comparación, sombríos y sordos, Leconte de Lisle ya no podía satisfacerlo. La antigüedad, tan maravillosamente resucitada por Flaubert, permanecía entre sus manos inmóvil y fría. Nada palpitaba en sus versos de fachada, que no sostenían, la mayoría de las veces, ninguna idea; nada vivía en esos poemas desiertos cuyas impasibles mitologías terminaban por helarlo. Por otra parte, después de haberla apreciado durante mucho tiempo, des Esseintes también llegaba a perder el interés por la obra de Gautier; su admiración por el incomparable pintor que era este hombre se iba disolviendo día tras día, y ahora quedaba más asombrado que encantado por sus descripciones, en cierto modo indiferentes. La impresión de los objetos se había fijado en su ojo, tan perceptivo, pero se había localizado allí, no había penetrado en su cerebro y en su carne; al igual que un prodigioso reflectante, se había limitado constantemente a reflejar, con una impersonal nitidez, los alrededores, los contornos de las cosas.

Ciertamente, des Esseintes aún amaba las obras de estos dos poetas, así como amaba las piedras raras, las materias preciosas y muertas, pero ninguna de las variaciones de estos perfectos instrumentistas podía ya extasiarlo porque ninguna era dúctil al sueño, ninguna abría, al menos para él, una de esas vivas escapadas que le permitían acelerar el lento vuelo de las horas.

Salía de sus libros en ayunas, y lo mismo le ocurría con los de Hugo. El aspecto oriental y patriarcal era demasiado convencional, demasiado vacío para retenerlo; y la faceta que era a la vez niñera y abuelo lo exasperaba; necesitaba llegar a las *Canciones de las calles y los bosques* para exaltarse ante la impecable juglaría de su métrica, pero cuánto, en última instancia, le habría gustado intercambiar todos esos alardes por una nueva obra de Baudelaire que fuera igual a la antigua, porque definitivamente ese era prácticamente el único cuyos versos encerraban, bajo su espléndida corteza, una médula balsámica y nutritiva.

Al saltar de un extremo al otro, de la forma desprovista de ideas a las ideas desprovistas de forma, des Esseintes quedaba no menos circunspecto y no menos frío. Los laberintos psicológicos de Stendhal y los rodeos analíticos de Duranty lo seducían, pero su lengua administrativa, incolora, árida, su prosa de alquiler, apenas buena para la innoble industria del teatro[131], le repelía. Además, los interesantes trabajos de sus astutos desmontajes psicológicos se ejercían, en resumidas cuentas, sobre cerebros agitados por pasiones que ya no lo conmovían. Le importaban poco las debilidades generales, las asociaciones de ideas comunes, ahora que la introspección de su espíritu se exageraba y ya no admitía más que las sensaciones exquisitas y las tormentas católicas y sensuales.

Para disfrutar de una obra que combinara, según sus deseos, un estilo incisivo con un análisis penetrante y felino, debía ir al maestro de la inducción, a ese profundo y extraño Edgar Poe, por quien, desde que lo releía, su predilección no había podido decaer.

---

[131] Duranty escribió sainetes para los teatros de marionetas de Las Tullerías.

Más que cualquier otro, este tal vez respondía con íntimas afinidades a las demandas meditativas de des Esseintes.

Si Baudelaire había descifrado en los jeroglíficos del alma la madurez de los sentimientos y las ideas, Poe era el que mejor había escrutado, en el campo de la psicología mórbida, el dominio de la voluntad.

En literatura, él había sido el primero, con el título emblemático de *El demonio de la perversidad,* en observar esos impulsos irresistibles que la voluntad sufre sin conocerlos y que la patología cerebral explica ahora de una manera casi segura. Fue también el primero en divulgar, si no en destacar, la influencia depresiva del miedo, que actúa sobre la voluntad al igual que los anestésicos, que paralizan la sensibilidad, y que el curare, que aniquila los elementos nerviosos motores. Fue en este punto, en esta letargia de la voluntad, donde había hecho converger sus estudios, analizando los efectos de ese veneno moral, indicando los síntomas de su evolución, los trastornos que empiezan con la ansiedad, continúan con la angustia y estallan finalmente en el terror que pasma las voliciones, sin que la inteligencia, aunque sacudida, flaquee.

La muerte, de la que todos los dramaturgos habían abusado tanto, Poe la había, en cierto modo, afilado, vuelto diferente, introduciendo en ella un elemento algebraico y sobrehumano; pero, a decir verdad, lo que describía era menos la agonía real del moribundo que la agonía moral del sobreviviente acosado, frente a la lamentable cama, por las monstruosas alucinaciones que engendran el dolor y la fatiga. Con una fascinación atroz, se detenía en los actos del espanto, en los crujidos de la voluntad, los razonaba fríamente, apretando poco a poco la garganta del lector, sofocado, jadeante ante esas pesadillas mecánicamente dispuestas por una fiebre alta.

Convulsas por neurosis hereditarias, profundamente turbadas por coreas morales, sus criaturas vivían gracias a la excitación nerviosa; sus mujeres, las Morella, las Ligeia, tenían una erudición inmensa, impregnada de las brumas de la filosofía alemana y de los misterios cabalísticos del viejo Oriente, y todas tenían pechos varoniles e inertes de ángeles, todas eran, por así decirlo, asexuadas.

Baudelaire y Poe, estos dos espíritus que a menudo se habían hermanado gracias a su poética común, a su inclinación compartida por el examen de las enfermedades mentales, diferían radicalmente en las concepciones afectivas, que ocupaban un lugar tan amplio en sus obras: Baudelaire, con su amor alterado e inicuo, que producía una aversión compatible con las represalias de una inquisición; Poe con sus amores castos, etéreos, donde los sentidos no existían, donde el cerebro se erigía, solitario, en dueño sin relación con órganos que, de existir, serían para siempre helados y vírgenes.

Esta clínica cerebral donde, practicando vivisecciones en una atmósfera sofocante, este cirujano espiritual se convertía, en cuanto la atención de des Esseintes flaqueaba, en presa de su imaginación, que espolvoreaba apariciones sonámbulas y angelicales, como deliciosos miasmas, era para él una fuente de inagotables conjeturas. Pero, ahora que su neurosis se había exacerbado, había días en que estas lecturas le quebraban, días en que, con las manos temblorosas, el oído alerta, sintiéndose lo mismo que el desolador Usher[132], quedaba invadido por un trance irrazonable, por un miedo sordo.

Así que debía moderarse, apenas tocar estos temibles elixires, de la misma forma que ya no podía visitar impunemente su rojo

---

[132] «El desolador Usher», de la narración *La caída de la casa Usher* (1839).

vestíbulo y embriagarse la vista con las tinieblas de Odilon Redon y los suplicios de Jan Luyken[133].

Y, sin embargo, cuando estaba en estas disposiciones de ánimo, toda la literatura le parecía insípida después de estos terribles filtros importados de América. Entonces, recurría a Villiers de l'Isle-Adam, en cuya obra dispersa apreciaba observaciones aún sediciosas, vibraciones aún espasmódicas, pero que al menos ya no producían, salvo su *Claire Lenoir,* un horror tan estremecedor.

Publicada en 1867, en la *Revue des lettres et des arts,* esta *Claire Lenoir* abría una serie de narraciones agrupadas bajo el título genérico de *Historias morosas.* Sobre un fondo de especulaciones oscuras tomadas del viejo Hegel, se agitaban seres desmantelados, un doctor Tribulat Bonhomet solemne y pueril, una Claire Lenoir farsante y siniestra, con sus gafas azules, redondas y grandes como monedas de cien francos, que cubrían sus ojos casi muertos.

Esta narración giraba en torno a un simple adulterio y concluía en un indescriptible horror, cuando Bonhomet, desplegando las pupilas de Claire en su lecho de muerte, y penetrándolas con monstruosas sondas, percibía claramente reflejada la imagen del marido que blandía con el brazo extendido la cabeza cortada del amante mientras gritaba, como un canaco, un canto de guerra. Basado en la observación más o menos correcta de que los ojos de ciertos animales, como los bueyes, por ejemplo, conservan hasta la descomposición, al igual que las placas fotográficas, la imagen de los seres y las cosas situadas bajo su última mirada en el momento en que expiraban, este cuento derivaba evidentemente de los de Edgar Poe, de quien se apropiaba la discusión puntillosa y el espanto.

Lo mismo ocurría con *Intersigno,* que había formado más tar-

[133] Ver capítulo V.

de parte de los *Cuentos crueles,* una recopilación de un talento indiscutible, en la que se encontraba *Véra,* una narración que des Esseintes consideraba una pequeña obra maestra. Aquí, la alucinación estaba impregnada de una ternura exquisita; ya no eran los oscuros espejismos del autor americano, sino una visión tibia y fluida, casi celestial; era, en un género idéntico, el contrapunto de las Beatrice[134] y las Ligeia[135], esos fantasmas descoloridos y sombríos engendrados por la inexorable pesadilla del opio negro.

Esta narración también ponía en juego las operaciones de la voluntad, pero ya no trataba de sus debilitamientos y derrotas bajo el efecto del miedo; estudiaba, por el contrario, sus exaltaciones bajo la influencia de una convicción convertida en idea fija; demostraba su poder, que lograba incluso saturar la atmósfera, imponer su fe en las cosas circundantes.

Otro libro de Villiers, *Isis,* le parecía curioso por otros motivos. El fárrago filosófico de *Claire Lenoir* también obstruía ese libro, que ofrecía un increíble caos de observaciones verbosas y turbias, y de recuerdos de viejos melodramas, de mazmorras, puñales, escaleras de cuerda, de todos esos puentes románticos que Villiers no rejuvenecería lo más mínimo en su *Elën,* en su *Morgane,* piezas olvidadas, editadas por un desconocido, el señor Francisque Guyon, impresor en Saint-Brieuc.

La heroína de este libro, una marquesa llamada Tullia Fabriana, de la que se suponía que había asimilado la ciencia caldea de las mujeres de Edgar Poe y las sagacidades diplomáticas de la Sanseverina-Taxis de Stendhal[136], tenía, además, la enigmática actitud de una Bradamante abastardada con una Circe antigua[137].

---

[134] Título de un poema de *Las flores del mal,* en el que el poeta ve a su amada entre demonios que se burlan.

[135] Del cuento homónimo de Edgar Allan Poe (1838).

[136] La duquesa Sanseverina, personaje de *La Cartuja de Parma* (1838).

[137] Bradamante, heroína guerrera del *Orlando furioso* (1532), de Ludovico Ariosto, y

Estas mezclas insolubles producían un vapor fuliginoso a través del cual las influencias filosóficas y literarias se agolpaban, sin haber podido ordenarse, en el cerebro del autor, en el momento en que escribía los prolegómenos de esta obra, que no debía comprender menos de siete volúmenes.

Pero en el temperamento de Villiers había otro rincón, mucho más penetrante, mucho más claro, un rincón de humor negro y burla feroz. Ya no eran las paradójicas mixtificaciones de Edgar Poe, sino la burla de un cómico lúgubre, como la que enfureció a Swift. Una serie de piezas, *Las señoritas de Bienfilâtre, El cartel celeste, La máquina de gloria, La mejor cena del mundo,* revelaban un espíritu de ironía singularmente inventivo y acre. Toda la inmundicia de las ideas utilitarias contemporáneas, toda la ignominia mercantil del siglo estaban glorificadas en piezas cuya punzante ironía deleitaba a des Esseintes.

En este género de literatura cáustica, grave y acerba, no existía otro libro en Francia. Como mucho, un relato de Charles Cros, *La ciencia del amor,* publicado anteriormente en la *Revue du Monde Nouveau,* podía sorprender por sus locuras químicas, su humor mordaz, sus observaciones fríamente bufonescas, pero el placer ya no era más que relativo, pues la ejecución fallaba de una manera estrepitosa. El estilo firme, colorido, a menudo original de Villiers, había desaparecido para dar paso a unos chicharrones raspados en el taller literario del primer advenedizo.

–¡Dios mío! ¡Dios mío! ¡Qué pocos libros hay que uno pueda releer! –suspiró des Esseintes, mirando al criado, que bajaba de la escalerilla en la que estaba encaramado y se retiraba para permitirle abarcar de un vistazo todos los estantes.

Circe, según la leyenda griega, maga que tenía el poder de transformar a los humanos en perros, leones y cerdos.

Des Esseintes asintió con la cabeza. No quedaban más que dos separatas sobre la mesa. Con un gesto, despidió al vejete y echó un vistazo a algunas hojas encuadernadas en piel de onagro previamente satinada en prensa hidráulica, moteada con acuarelas de nubes de plata y provista de guardas de viejas *lampas*[138], cuyos dibujos, un tanto apagados, tenían esa gracia de las cosas marchitas que Mallarmé celebró en un poema delicioso.

Estas páginas, nueve en total, estaban extraídas de ejemplares únicos de los dos primeros ejemplares de *Le Parnasse contemporaine,* impresos en pergamino, y llevaban por título *Quelques vers de Mallarmé,* dibujado por un sorprendente calígrafo en letras unciales, coloreadas, realzadas, como las de los antiguos manuscritos, con puntos de oro.

Entre los once poemas reunidos bajo esta cubierta, algunos, como *Las ventanas, El epílogo* y *Azur,* le atraían; pero uno en particular, un fragmento de *Herodías,* le subyugaba como un sortilegio, en ciertos momentos.

¡Cuántas noches, bajo la lámpara que iluminaba con su tenue resplandor la silenciosa habitación, se había sentido acariciado por esa Salomé que, en la obra de Gustave Moreau, ahora invadida por la sombra, se difuminaba, no dejando ver más que una confusa estatua, todavía blanca, en un brasero apagado de piedras!

La oscuridad ocultaba la sangre, adormecía los reflejos y los oros, entenebrecía los confines del templo, ahogaba a los cómplices del crimen, sepultados en sus colores muertos, y, sin perdonar más que los blancos de la acuarela, sacaba a la mujer del estuche de sus joyas y la volvía más desnuda.

Invenciblemente, levantaba los ojos hacia ella, la discernía en

138 Tela de seda oriental ricamente decorada.

sus inolvidables contornos y ella revivía, evocando en sus labios esos extraños y dulces versos que Mallarmé le presta:

> ¡Oh espejo!
> Agua fría congelada por el tedio en tu marco,
> ¡cuántas veces, y durante horas, desolada
> de sueños y buscando mis recuerdos, que son
> como hojas bajo tu hielo en el fondo profundo,
> me aparecí en ti como una sombra lejana!
> Pero, ¡horror!, por las noches, en tu severa fuente,
> ¡he conocido la desnudez de mi sueño disperso!

Amaba estos versos como amaba las obras de este poeta, que, en un siglo de sufragio universal y en una época de lucro, vivía al margen de las letras, protegido de la estupidez circundante por su desdén, complaciéndose, lejos del mundo, en las sorpresas del intelecto, en las visiones de su cerebro, afinando pensamientos ya sutiles, injertándolos con finuras bizantinas, perpetuándolos en deducciones ligeramente insinuadas, a las que apenas conectaba un hilo imperceptible.

Estas ideas trenzadas y preciosas, las unía con un lenguaje adhesivo, solitario y secreto, lleno de contracciones de frases, de giros elípticos, de audaces tropos.

Como percibía las analogías más lejanas, a menudo utilizaba, para designar un objeto o un ser, un término que sugería a la vez, por un efecto de semejanza, su forma, perfume, color, calidad, brillo, algo que, de haberlo nombrado simplemente con su nombre técnico, habría exigido adjuntar numerosos y diferentes epítetos para revelar todas sus facetas, todos sus matices. Así lograba abolir el enunciado de la comparación, que se establecía por sí sola en la mente del lector por analogía, tan pronto como había penetrado el símbolo, y se libraba de dispersar la atención en cada una de las cualidades que podrían presentar, una a una, los adjetivos colocados uno tras otro, concentrándola en una sola palabra, en un todo, produciendo, como para un cuadro, por ejemplo, un aspecto único y completo, un conjunto.

Eso se convertía en una literatura condensada, un concentrado esencial, un sublimado de arte; esta táctica, empleada de manera restringida en sus primeras obras, Mallarmé la había exhibido audazmente en una pieza sobre Théophile Gautier y en *La siesta de un fauno,* una égloga, donde las sutilezas de las alegrías sensuales se desarrollaban en versos misteriosos y cariñosos, que de repente eran atravesados por el grito salvaje y delirante del fauno:

> Entonces despertaré al primer fervor,
> derecho y solo bajo un flujo antiguo de luz,
> ¡lirio!, y uno de todos vosotros por la ingenuidad.

Este verso, que, con el monosílabo *¡Lys!* en encabalgamiento, evocaba la imagen de algo rígido, esbelto, blanco, sobre cuyo sentido insistía aún el sustantivo ingenuidad puesto en la rima, expresaba alegóricamente, en un solo término, la pasión, la efervescencia, el estado momentáneo del fauno virgen, enloquecido de lujuria por la visión de las ninfas.

En este extraordinario poema, surgían en cada verso sorpresas de imágenes nuevas y nunca vistas, mientras el poeta describía los impulsos, los lamentos del fauno contemplando en el borde del pantano las matas de juncos que aún conservaban, en un molde efímero, la forma hueca de las náyades que lo habían llenado.

Des Esseintes también experimentaba deliciosos placeres al palpar este minúsculo folleto, cuya cubierta de fieltro de Japón, tan blanca como leche cuajada, estaba cerrada por dos cordones de seda, uno rosa de China y el otro negro.

Disimulada bajo la cubierta, la trenza negra se unía a la rosa, que ponía como un soplo de terciopelo, como una sospecha de colorete japonés moderno, como un aditivo libertino, sobre la antigua blancura, sobre el cándido color carne del libro; y se enlazaba con ella anudando, en una ligera roseta, su color oscuro con el color claro, insinuando una discreta advertencia de ese pesar, una vaga amenaza de esa tristeza, que sucede a los trances apagados y a las excitaciones apaciguadas de los sentidos.

Des Esseintes dejó sobre la mesa *La siesta de un fauno* y hojeó otra separata que había mandado imprimir para él: una antología de poemas en prosa, una pequeña capilla, puesta bajo la invocación de Baudelaire, y abierta en el atrio de sus poemas[139].

Esta antología comprendía una selección del *Gaspar de la Noche,* de ese fantasioso Aloysius Bertrand[140], que ha trasladado los procedimientos de Léonard[141] a la prosa y pintado, con sus óxidos metálicos, pequeños cuadros cuyos vívidos colores brillan como los de los relucientes esmaltes. Des Esseintes había añadido el *Vox populi,* de Villiers, una pieza magníficamente forjada en un estilo dorado, a la imagen de Leconte de Lisle y de Flaubert, y algunos extractos de ese delicado *Libro de jade,* cuyo exótico perfume de ginseng y té se mezcla con la fragante frescura del agua que murmura bajo la luz de la luna a lo largo del libro.

Pero, en este recopilatorio, se habían reunido ciertos poemas

---

[139] La antología comienza, tal vez, por los poemas en prosa del *Spleen de París* de Baudelaire.

[140] Louis Jacques Napoléon Bertrand, más conocido como Aloysius Bertrand (1807-1841), poeta romántico, famoso por haber introducido la prosa poética en la literatura francesa, es considerado el precursor de la poesía simbolista. Su obra maestra es la colección de poemas en prosa, *Gaspard de la Nuit* publicado póstumamente en 1842.

[141] Léonard Limosín (1505-1577), esmaltador y pintor del Renacimiento, que es comparado con Gustave Moreau en el capítulo V.

rescatados de revistas muertas: *El demonio de la analogía, La pipa, El pobre niño pálido, El espectáculo interrumpido, El fenómeno futuro,* y sobre todo *Quejas de otoño* y *Escalofrío de invierno,* que eran las obras maestras de Mallarmé y también contaban entre las obras maestras del género del poema en prosa, porque unían un lenguaje tan magníficamente ordenado que por sí solo mecía al lector como una melancólica invocación, como una embriagadora melodía, con pensamientos de una sugerencia irresistible, con las pulsaciones de alma de un sensitivo cuyos nervios en tensión vibran con una agudeza que te penetra hasta el arrebato, hasta el dolor.

De todas las formas de la literatura, la del poema en prosa era la preferida de des Esseintes. Manipulada por un alquimista de genio, debía, según él, encerrar en su pequeño volumen, en estado de esencia, la potencia de la novela de la que suprimía las longitudes analíticas y las superfluidades descriptivas. Muy a menudo, había meditado sobre este inquietante problema: escribir una novela concentrada en unas pocas frases que contuvieran el jugo destilado de cientos de páginas, siempre empleadas en establecer el entorno, en dibujar los caracteres, en acumular, como apoyo, las observaciones y los pequeños hechos. Entonces, las palabras elegidas serían tan inconfundibles que suplirían a todas las demás; el adjetivo, puesto de una manera tan ingeniosa y definitiva que no podría ser legalmente despojado de su lugar, abriría tales perspectivas que el lector podría soñar, durante semanas enteras, sobre su sentido, a la vez preciso y múltiple, constataría el presente, reconstruiría el pasado, adivinaría el futuro de las almas de los personajes, revelados por los destellos de ese epíteto único.

La novela, así concebida, así condensada en una página o dos, se convertiría en una comunión de pensamiento entre un escritor mágico y un lector ideal, una colaboración espiritual consentida entre diez personas superiores dispersas por el universo, una delectación ofrecida a los delicados, accesible solo a ellos.

En una palabra, el poema en prosa representaba, para des Esseintes, el jugo concreto, el osmazomo de la literatura, el aceite esencial del arte.

Esta suculencia, desarrollada y reducida a una gota, ya existía en Baudelaire, y también en estos poemas de Mallarmé, que saboreaba con una alegría tan profunda.

Tras cerrar su antología, des Esseintes se dijo que su biblioteca, detenida en este último libro, probablemente nunca más se incrementaría.

En efecto, la decadencia de una literatura, irreparablemente afectada en su organismo, debilitada por la edad de las ideas, agotada por los excesos de la sintaxis, sensible solo a las curiosidades que enfebrecen a los enfermos y, sin embargo, urgida a expresarlo todo en su declive, empeñada en querer reparar todas las omisiones de placer, en legar los recuerdos más sutiles de dolor, se había encarnado, en su lecho de muerte, en Mallarmé de la manera más consumada y exquisita.

Eran, llevadas hasta su última expresión, las quintasencias de Baudelaire y Poe; eran sus finas y poderosas sustancias destiladas y emitiendo nuevos aromas, nuevas ebriedades.

Era la agonía de la vieja lengua que, después de haberse salpimentado de siglo en siglo, terminaba disolviéndose, alcanzando ese *deliquium*[142] de la lengua latina que expiraba en los conceptos misteriosos y las expresiones enigmáticas de san Bonifacio y san Adelmo.

De todos modos, la descomposición de la lengua francesa se había hecho de un golpe. En la lengua latina, existía una larga

[142] Estado líquido de un cuerpo, sólido en origen.

transición, un intervalo de cuatrocientos años entre el verbo moteado y soberbio de Claudiano y Rutilio, y el verbo descompuesto del siglo VIII. En la lengua francesa no había habido ningún lapso, ninguna sucesión de edades; el estilo moteado y soberbio de los de Goncourt y el estilo descompuesto de Verlaine y Mallarmé coexistían en París, viviendo al mismo tiempo, en la misma época, en el mismo siglo.

Y des Esseintes sonrió, mirando uno de los infolios abiertos sobre su pupitre de capilla, pensando que llegaría el momento en que un erudito prepararía para la decadencia de la lengua francesa un glosario similar a aquel en el que el sabio Du Cange[143] había anotado los últimos balbuceos, los últimos espasmos, los últimos destellos, de la lengua latina agonizante de vejez en el fondo de los claustros.

[143] Charles du Fresne (1610-1688), señor du Cange, historiador y gramático.

Capítulo XV

Encendido como un fuego de paja, su entusiasmo por el digestor se apagó de igual manera. La dispepsia nerviosa, al principio adormecida, se despertó; luego, esta astringente esencia alimenticia produjo tal irritación en sus entrañas que des Esseintes tuvo que dejar de usarla inmediatamente.

La enfermedad retomó su curso; fenómenos desconocidos la acompañaron. Después de las pesadillas, de las alucinaciones del olfato, de los trastornos de la vista, de la tos áspera, regulada como un reloj, de los ruidos de las arterias y el corazón, y de los sudores fríos, surgieron las ilusiones del oído, esas alteraciones que solo se producen en el último período de la enfermedad.

Consumido por una ardiente fiebre, des Esseintes oyó de repente murmullos de agua, vuelos de avispas; después esos ruidos se fusionaron en uno solo, que se asemejaba al ronroneo de un torno; ese ronroneo se aclaró, se atenuó y poco a poco se convirtió en un sonido argentino de campana.

Entonces, sintió su delirante cerebro llevado por ondas musicales, envuelto en los remolinos místicos de su infancia. Los cantos aprendidos con los jesuitas reaparecieron, restableciendo, por sí mismos, el internado, la capilla, donde habían resonado, haciendo repercutir sus alucinaciones en los órganos olfativos y visuales, velándolos con humo de incienso y tinieblas irradiadas por resplandores de vitrales bajo altas cintras.

Con los padres, las ceremonias religiosas se practicaban con gran pompa; un excelente organista y un notable coro hacían de esos ejercicios espirituales un deleite artístico provechoso para el culto. El organista era amante de los viejos maestros y, en los días festivos, interpretaba misas de Palestrina y de Orlando Lasso, salmos de Marcello, oratorios de Haendel, motetes de Sebastian Bach; ejecutaba de preferencia las suaves y fáciles compilaciones del padre Lambillotte, que tanto gustaban a los padres, las *Laudi spirituali*[144] del siglo XVI, cuya sacerdotal belleza había cautivado muchas veces a des Esseintes.

Pero había experimentado, sobre todo, inefables alegrías al escuchar el canto llano, que el organista había mantenido a pesar de las nuevas ideas.

Esta forma, ahora considerada caduca y gótica dentro de la liturgia cristiana, como una curiosidad arqueológica, como una reliquia de tiempos antiguos, era el verbo de la Iglesia antigua, el alma de la Edad Media; era la oración eterna cantada, modulada según los impulsos del alma, el himno permanente lanzado desde hace siglos hacia el Altísimo.

Esa melodía tradicional era la única que, con su poderoso unísono, sus armonías solemnes y masivas, como piedras de sillería, podía asociarse con las viejas basílicas y llenar las bóvedas románicas de las cuales parecía la emanación y la voz misma.

¡Cuántas veces no había sido des Esseintes embargado y doblegado por un aliento irresistible, cuando el *Christus factus est*[145] del canto gregoriano se elevaba en la nave, cuyos pilares temblaban entre las móviles nubes de los incensarios, o cuando el fabordón del *De profundis* gemía, lúgubre como un sollozo contenido, con-

---

[144] Género de cánticos religiosos procedente de Italia, cantados por cofradías, que se extendieron a Europa en el siglo XVI y se mantuvieron hasta finales del XIX.

[145] *Christus factus est pro nobis obediens usque ad mortem:* «Cristo se ha hecho por nosotros obediente hasta la muerte». Es el comienzo de un canto de la liturgia de Semana Santa cuyo texto está sacado de la epístola de san Pablo a los filipenses.

movedor como una llamada desesperada de la humanidad llorando su destino mortal, implorando la misericordia enternecida de su Salvador!

En comparación con ese canto magnífico, creado por el genio de la Iglesia, impersonal, anónimo como el propio órgano, cuyo inventor es desconocido, toda música religiosa le parecía profana. En el fondo, en todas las obras de Jomelli y Porpora, de Carissimi y Durante, en las concepciones más admirables de Haendel y Bach, no había la renuncia a un éxito de público, el sacrificio de un efecto artístico, la abdicación de un orgullo humano escuchándose orar a sí mismo. Todo lo más, con las imponentes misas de Lesueur celebradas en Saint-Roch, el estilo religioso se afirmaba, grave y augusto, acercándose al viejo canto llano, en cuanto a su áspera desnudez, a su majestuosa austeridad.

Desde entonces, absolutamente indignado por estas carencias con los *Stabat,* imaginados por los Pergolesi y los Rossini[146], por toda esta intrusión del arte mundano en el arte litúrgico, des Esseintes se había mantenido alejado de estas obras equívocas que tolera la indulgente Iglesia.

Además, esta debilidad, consentida por el deseo de ingresos y bajo una falaz apariencia de atracción para los fieles, había llevado de inmediato a cantos tomados de óperas italianas, a abyectas cavatinas, a indecentes contradanzas, interpretadas por una gran orquesta en las propias iglesias, convertidas en tocadores, entregadas a los histriones de los teatros, que bramaban en los altillos, mientras, abajo, las mujeres combatían a golpe de vestidos y se desmayaban con los gritos de los comediantes, cuyas voces impuras mancillaban los sonidos sagrados del órgano.

---

[146] Pergolese (1710-1736) compuso su célebre *Stabat* el año de su muerte. Rossini (1792-1868) estrenó el suyo el 7 de enero en París con gran éxito.

Hacía años que se había negado obstinadamente a participar en esos festines piadosos, aferrándose a sus recuerdos de infancia, lamentando incluso haber escuchado algunos tedeums, creados por grandes maestros, porque recordaba aquel admirable tedeum del canto llano, ese himno tan simple, tan grandioso, compuesto por algún santo, un san Ambrosio o un san Hilario, que, a falta de los recursos complicados de una orquesta, a falta de la mecánica musical de la ciencia moderna, revelaba una fe ardiente, un júbilo delirante, que brotaban del alma de toda la humanidad, con acentos profundos, convencidos, casi celestiales.

Además, las ideas de des Esseintes sobre la música estaban en flagrante contradicción con las teorías que profesaba sobre las otras artes. En cuanto a música religiosa, solo aprobaba realmente la música monástica de la Edad Media, esa música emaciada, que actuaba instintivamente sobre sus nervios, al igual que ciertas páginas de la vieja latinidad cristiana. Luego, él mismo lo admitía, era incapaz de comprender las sutilezas que los maestros contemporáneos podían haber introducido en el arte católico; en primer lugar, no había estudiado la música con esa pasión que lo había llevado a la pintura y las letras. Tocaba, como cualquiera, el piano; era, después de largos balbuceos, más o menos apto para maldescifrar una partitura, pero desconocía la armonía, la técnica necesaria para captar realmente un matiz, para apreciar una sutileza, para saborear, con pleno conocimiento de causa, una finura.

Por otro lado, la música profana es un arte de promiscuidad, ya que uno no puede leerla en casa, solo, como se lee un libro; para degustarla, habría sido necesario mezclarse con ese público invariable que abarrota los teatros y que asedia ese Circo de invierno[147] donde, bajo un sol resplandeciente, en una atmósfera

[147] El Circo de invierno de París, en la calle Amelot, fue construido en 1852. Entre

de lavandería, se ve a un hombre, con aspecto de carpintero, que bate en el aire una salsa de mostaza y masacra episodios desconectados de Wagner, para inmensa alegría de una multitud inconsciente.

No había tenido el valor de sumergirse en ese baño de multitudes para ir a escuchar a Berlioz, cuyos fragmentos, sin embargo, le habían subyugado con sus exaltaciones apasionadas y sus ímpetus vibrantes, y sabía, perfectamente también, que no había una escena, ni siquiera una frase, de una ópera del prodigioso Wagner que pudiera ser impunemente separada de su conjunto.

Los fragmentos, cortados y servidos en el plato de un concierto, perdían todo significado, quedaban privados de sentido, dado que, semejantes a capítulos que se complementan unos a otros y que contribuyen, todos, a la misma conclusión, al mismo fin, sus melodías servían para delinear el carácter de sus personajes, para encarnar sus pensamientos, para expresar sus motivos, visibles o secretos, y porque sus ingeniosos y persistentes retornos solo eran comprensibles para los oyentes que seguían el tema desde su exposición y veían poco a poco a los personajes perfilarse y crecer en un entorno del que no se les podía sacar sin verlos perecer, como ramas separadas de un árbol.

Así pues, des Esseintes pensaba que, entre esa turba de melómanos que se extasiaban los domingos en sus asientos, apenas veinte conocían la partitura que se masacraba, cuando las acomodadoras consentían en callar para que se pudiera oír la orquesta.

Igualmente, dado que el patriotismo inteligente impedía que un teatro francés representara una ópera de Wagner, para los curiosos que ignoraban los arcanos de la música y no podían o no

---

1861 y 1884 se dieron en él conciertos populares destinados al gran público, a base de los clásicos, y también de algún compositor de la época como Wagner y Berlioz.

querían ir a Bayreuth no había más opción que quedarse en casa, y esa era la decisión razonable que había sabido tomar.

Por otro lado, la música más pública, más fácil, y los fragmentos independientes de las viejas óperas apenas le interesaban; los bajos trinos de Auber y de Boieldieu, de Adam y de Flotow, y los lugares comunes de retórica profesados por los Ambroise Thomas y los Bazin le repugnaban del mismo modo que las inveteradas afectaciones y las gracias populacheras de los italianos. Así que se había apartado resueltamente del arte musical y, tras años de abstinencia, solo recordaba con placer ciertas sesiones de música de cámara donde había escuchado a Beethoven y, sobre todo, a Schumann y Schubert, quienes habían triturado sus nervios de la misma manera que los poemas más íntimos y atormentados de Edgar Poe.

Ciertas partes para violonchelo de Schumann le habían dejado, sin duda, jadeante y estrangulado por la asfixiante bola de histeria; pero, sobre todo, fueron los *lieder* de Schubert lo que lo había levantado, puesto fuera de sí, y luego postrado, como después de una pérdida de fluido nervioso a raíz de un desenfreno místico del alma.

Esta música le penetraba, estremeciéndolo hasta los huesos y hacía refluir en el corazón, asombrado de guardar tantas miserias confusas y dolores vagos un infinito de sufrimientos olvidados, de antiguo *spleen*. Esta música de desolación, gritando desde lo más profundo del ser, le aterrorizaba al tiempo que le encantaba. Nunca, sin que las lágrimas nerviosas le subieran a los ojos, había podido repetirse *Las quejas de la joven*[148], pues había en este lamento algo más que pena, algo desgarrador que le hurgaba las entrañas, algo como un fin de amor en un paisaje triste.

---

[148] *Des Mädches Klage, lied* sobre un poema de Schelling, del que Schubert compuso varias versiones, la primera en 1811.

Y siempre, cuando le volvían a los labios, estas exquisitas y fúnebres quejas evocaban en él un sitio de las afueras, un sitio avaro, mudo, donde, sin ruido, a lo lejos, filas de personas, agotadas por la vida, se perdían, dobladas en dos, en el crepúsculo, mientras, abrevado de amarguras, lleno de disgusto, des Esseintes se sentía, en la naturaleza afligida, solo, completamente solo, abatido por una indescriptible melancolía, por una obstinada angustia cuya intensidad misteriosa excluía toda consolación, toda piedad, todo reposo. Parecido a una campana tocando a muerto, ese canto desesperado le atormentaba, ahora que estaba acostado, aniquilado por la fiebre y agitado por una ansiedad tanto más implacable cuanto que ya no discernía la causa. Terminaba por abandonarse a la deriva, derribado por el torrente de angustias que vertía esa música, de repente contenida un minuto por el canto de los salmos, que se elevaba, en un tono lento y bajo, en su cabeza, cuyas sienes magulladas le parecían golpeadas por badajos de campana.

Una mañana, sin embargo, esos ruidos se calmaron; se controló mejor y pidió al criado que le trajera un espejo. Se le cayó de las manos, apenas se reconocía; el rostro tenía un color terroso, los labios estaban hinchados y secos, la lengua arrugada, la piel áspera; su cabello y su barba, que el criado no había recortado desde la enfermedad, añadían aún más horror a su rostro hundido, con los ojos agrandados y vidriosos, que ardían con un brillo febril en aquella cabeza de esqueleto, erizada de pelos. Más que su debilidad, más que sus vómitos incoercibles, que rechazaban cualquier intento de alimentarse, más que ese marasmo en que se hundía, el cambio de rostro lo asustó. Se creyó perdido, pero en el abatimiento que lo aplastaba, una energía de hombre acorralado lo obligó a sentarse, le dio la fuerza de escribir una carta a su médico de París y de ordenar al criado que partiera de inmediato en su búsqueda y lo trajera, costara lo que costara, ese mismo día.

De pronto, pasó del abandono más completo a la esperanza más alentadora; ese médico era un especialista famoso, un doctor renombrado por sus curas de enfermedades nerviosas

«Debe haber curado casos más obstinados y peligrosos que el mío –se decía–. Sin duda, estaré en pie en unos días. –Pero a esa confianza le seguía un desengaño absoluto–: Por muy sabios e intuitivos que sean, los médicos no conocen nada de las neurosis, ignoran hasta los orígenes.» Al igual que los demás, este le prescribiría el eterno óxido de zinc y la quinina, el bromuro de potasio y la valeriana. Y continuaba, agarrándose al último asidero: «Quién sabe; si estos remedios me han sido hasta ahora infieles, es sin duda porque no he sabido utilizarlos en las dosis indicadas».

A pesar de todo, esa expectativa de alivio lo reanimaba. Pero tuvo una nueva aprensión: «Con tal de que el médico esté en París y quiera desplazarse», pero, inmediatamente, el miedo a que su criado no lo hubiera encontrado lo aterrorizó.

Empezó a desmayarse de nuevo, saltando, de un segundo a otro, de la esperanza más insensata a los miedos más locos, exagerando tanto la posibilidad de una curación repentina como sus temores de peligro inminente; las horas pasaron y llegó el momento en que, desesperado, agotado, convencido de que definitivamente el médico no llegaría, se repitió furiosamente que, si le hubieran atendido a tiempo, seguramente se habría salvado. Luego la ira contra el criado, contra el médico, a quien acusaba de dejarlo morir, se desvaneció y, finalmente, se irritó consigo mismo, reprochándose haber esperado tanto para pedir ayuda, convencido de que estaría curado si hubiera solicitado el día anterior medicamentos vigorosos y cuidados útiles.

Poco a poco, esas alternancias de alarmas y esperanzas que sacudían su mente vacía se calmaron. Estos conflictos terminaron por destrozarlo; cayó en un letargo de agotamiento atravesado por sueños incoherentes, en una especie de síncope interrumpido por despertares sin consciencia. Había acabado perdiendo la noción de sus deseos y sus miedos hasta el punto de quedar aturdido, sin experimentar ninguna sorpresa, ninguna alegría, cuando, de pronto, entró el médico.

Sin duda el criado le había informado de la vida que llevaba des Esseintes y de los diversos síntomas que él mismo había podido observar desde el día en que encontró a su señor, desmayado por la violencia de los perfumes, cerca de la ventana, porque hizo pocas preguntas al enfermo, cuyos antecedentes conocía desde hacía muchos años. Pero lo examinó, lo auscultó y observó con atención la orina, donde ciertas manchas blancas le revelaron una de las causas más determinantes de su neurosis. Escribió una receta y, sin decir palabra, se marchó, anunciando su próximo retorno.

La visita del médico reconfortó a des Esseintes, quien, sin embargo, se asustó por su silencio y pidió al criado que dejara de ocultarle la verdad. Este le aseguró que el doctor no mostraba ninguna preocupación. Él, por muy desconfiado que fuera, no pudo detectar ningún signo que revelara la vacilación de una mentira en el tranquilo rostro del criado.

Entonces sus pensamientos se relajaron; además, sus sufrimientos habían callado y la debilidad que sentía en todos sus miembros tenía cierta dulzura, cierta sensación de mimo, a la vez indefinida y lenta. Finalmente quedó estupefacto y satisfecho de no estar abarrotado de drogas y frascos, y una pálida sonrisa movió sus labios cuando el criado trajo un enema nutricional de peptona y le informó de que repetiría este ejercicio tres veces en las primeras veinticuatro horas.

La operación tuvo éxito y des Esseintes no pudo dejar de felicitarse tácitamente por este acontecimiento, que, en cierta forma, coronaba la existencia que él mismo se había creado. Su inclinación por lo artificial había alcanzado ahora, y sin que él lo hubiera querido, la satisfacción suprema. No se podía llegar más lejos; el alimento así absorbido era, sin duda, la última desviación que se podía cometer.

«Sería delicioso –se decía–, si uno pudiera, una vez completamente sano, continuar con esta simple dieta. ¡Qué ahorro de tiempo, qué liberación radical de la aversión que la carne inspira a las personas sin apetito! ¡Qué liberación definitiva de la fatiga que siempre proviene de la elección, necesariamente limitada, de los platos del menú! ¡Qué energética protesta contra el bajo pecado de la gula! Y, finalmente, ¡qué insulto decisivo arrojado a la cara de esta vieja naturaleza, cuyas uniformes exigencias se extinguirían para siempre! –Y continuaba, hablándose en voz baja–: Sería fácil agudizar el hambre tomando un severo aperitivo y luego, cuando uno pudiera lógicamente decir: "¿Qué hora será? Me parece que ya es hora de sentarse a la mesa, tengo un agujero en el estómago", dispondría el cubierto, poniendo el magistral instrumento en el mantel y, entonces, en el tiempo de recitar la bendición, se habría eliminado la tediosa y vulgar tarea de comer.»

Unos días después, el criado se presentó con un enema cuyo color y olor diferían absolutamente del de la peptona.

–Pero ¡esto no es lo mismo! –exclamó des Esseintes, muy emocionado al ver el líquido vertido en el aparato. Pidió, como en un restaurante, la carta y, desplegando la prescripción del médico, leyó:

Aceite de hígado de bacalao	20 gramos
Caldo de buey..	200 gramos
Vino de Borgoña..	200 gramos
Yema de huevo..	1

Quedó pensativo. Él, que no había podido, debido al deterioro de su estómago, interesarse seriamente en el arte de la cocina, de repente se encontró meditando sobre combinaciones de falso gourmet; luego, una idea disparatada le pasó por la cabeza. Quizá el médico había pensado que el extraño paladar de su cliente ya estaba cansado del sabor de la peptona; quizá había querido, como un chef hábil, variar el sabor de los alimentos, impedir que la monotonía de los platos llevara a una completa inapetencia. Una vez sumido en estas reflexiones, des Esseintes redactó recetas inéditas, preparando cenas magras para el viernes, aumentando la dosis de aceite de hígado de bacalao y de vino, y eliminando el jugo de buey, como alimento grasiento, expresamente prohibido por la Iglesia. Pero pronto dejó de deliberar sobre estas bebidas nutritivas, ya que el médico logró, poco a poco, dominar los vómitos y hacerle tragar, por las vías normales, un jarabe de ponche con polvo de carne cuyo vago aroma de cacao agradaba a su verdadero paladar.

Pasaron semanas y el estómago decidió funcionar. En ciertos momentos volvían las náuseas, reducidas, no obstante, por la cerveza de jengibre y la poción antiemética de Rivière[149]. Finalmente, poco a poco, los órganos se recuperaron; ayudados por las pepsinas, logró digerir las verdaderas carnes, las fuerzas se restablecieron y des Esseintes pudo mantenerse de pie en su habitación e intentar caminar, apoyándose en un bastón y sosteniéndose en las esquinas de los muebles. En lugar de alegrarse por este éxito, olvidó los sufrimientos difuntos, se irritó por la duración de la convalecencia y culpó al médico por arrastrarlo así, tan lentamente.

Es cierto que algunos intentos infructuosos ralentizaron la

[149] Lazare Rivière (1589-1655). Su poción se compone de ácido cítrico, sirope de azúcar, bicarbonato de potasio y agua.

cura; ni la quina ni el hierro, incluso mitigado por el láudano, fueron aceptados y tuvieron que ser reemplazados por arseniatos, después de quince días perdidos en esfuerzos inútiles, como impacientemente constató.

Finalmente, llegó el momento en que pudo mantenerse de pie tardes enteras y pasear, sin ayuda, por sus habitaciones. Entonces, su gabinete de trabajo lo irritó; defectos a los que el hábito lo había acostumbrado le saltaron a la vista en cuanto volvió después de una larga ausencia.

Los colores elegidos para ser vistos a la luz de las lámparas le parecieron discordantes con las luces del día; pensó en cambiarlos y combinó durante horas caprichosas armonías de colores, acoplamientos híbridos de telas y cueros.

«Definitivamente, me estoy encaminando hacia la salud», se dijo, al comprobar el regreso de sus antiguas preocupaciones, de sus viejas atracciones.

Una mañana, mientras contemplaba sus paredes naranja y azul, pensando en tapices ideales fabricados con estolas de la Iglesia griega, soñando con dalmáticas rusas tejidas con oro, con capas de brocado decoradas con letras eslavas, adornadas con granates de los Urales e hileras de perlas, el médico entró y, observando la mirada de su paciente, le interrogó.

Des Esseintes le expresó sus deseos irrealizables, y empezaba a maquinar nuevas investigaciones sobre colores, a hablar de los concubinatos y rupturas de tonos que realizaría, cuando el médico le soltó una ducha fría sobre la cabeza, afirmando de manera categórica que, en todo caso, no sería en esa casa donde llevaría a cabo sus proyectos.

Y, sin darle tiempo a respirar, declaró que había resuelto lo más urgente al restablecer las funciones digestivas y que ahora había que atacar la neurosis, que no estaba en absoluto curada y que requeriría años de régimen y cuidados. Añadió finalmente que, antes de intentar cualquier remedio, antes de empezar cualquier tratamiento hidroterápico, imposible de seguir en Fontenay, era necesario abandonar esta soledad, volver a París, a la vida común, intentar finalmente distraerse como todo el mundo.

–Pero ¡a mí no me distraen los placeres de los demás! –dijo des Esseintes, indignado.

Sin discutir esa opinión, el médico simplemente aseguró que este cambio radical de existencia que exigía era, a su entender, una cuestión de vida o muerte, una cuestión de salud o locura, complicada en breve plazo por la tuberculosis.

–¡Entonces es la muerte o el envío al presidio! –exclamó, exasperado.

El médico, que estaba imbuido de todos los prejuicios de un hombre de mundo, sonrió y se dirigió a la puerta sin responderle.

Capítulo XVI

Des Esseintes se encerró en su dormitorio, tapándose los oídos ante los martillazos que clavaban las cajas de embalaje preparadas por los criados; cada golpe percutía en su corazón, le infligía un dolor agudo en plena carne. La sentencia del médico se estaba cumpliendo; el miedo a sufrir, una vez más, los dolores que había soportado, el temor a una agonía atroz habían actuado sobre él con más fuerza que el odio a la detestable existencia a la que la jurisdicción médica lo condenaba.

Y, sin embargo, se decía, hay personas que viven solitarias, sin hablar con nadie, absortas, ensimismadas, alejadas del mundo, como los reclusos y los trapenses, y nada prueba que esos desdichados y esos sabios se vuelvan dementes o tísicos. Había citado estos ejemplos al médico sin resultado. Este había repetido con un tono seco que no admitía réplica, que su veredicto, confirmado además por la opinión de todos los especialistas de la neurosis, era que la distracción, el entretenimiento y la alegría podían influir en esta enfermedad, cuyo aspecto espiritual escapaba a la fuerza química de los remedios; e, impacientado por las recriminaciones de su paciente, había declarado por última vez que se negaba a seguir atendiéndolo si no consentía en cambiar de aires, en vivir en nuevas condiciones de higiene.

Des Esseintes se fue inmediatamente a París, consultó a otros especialistas, les expuso imparcialmente su caso y, como todos aprobaron sin dudar las prescripciones de su colega, alquiló un apartamento aún desocupado en un edificio nuevo, volvió a Fontenay y, blanco de rabia, dio órdenes para que el criado preparara los baúles.

Hundido en su sillón, reflexionaba ahora sobre esa observancia expresa que trastocaba sus planes, rompía los lazos de su vida presente y enterraba sus proyectos futuros. ¡Así que su felicidad había terminado! ¡Debía abandonar ese refugio que lo albergaba, regresar plenamente a esa intemperie de estupidez que antes lo había azotado!

Los médicos hablaban de entretenimiento, de distracción; y ¿con quién, y con qué, querían ellos que se divirtiera y que se sintiera complacido?

¿Acaso no se había puesto él mismo al margen de la sociedad? ¿Acaso conocía a alguien cuya existencia intentara, como la suya, relegarse a la contemplación, detenerse en el ensueño? ¿Conocía a alguien capaz de apreciar la delicadeza de una frase, la sutileza de una pintura, la quintaesencia de una idea, alguien cuya alma fuera lo suficientemente tortuosa para comprender a Mallarmé y amar a Verlaine?

¿Dónde, cuándo, en qué mundo debía buscar para descubrir un espíritu gemelo, un espíritu despojado de lugares comunes, que bendijera el silencio como un beneficio, la ingratitud como un alivio, la desconfianza como un refugio, como un puerto?

¿En el mundo donde había vivido antes de su partida a Fontenay? Pero la mayoría de los señoritos, hidalgos de gotera, que había frecuentado debían, desde entonces, haberse degradado aún más en los salones, embrutecido en las mesas de juego, arruinado en los labios de las chicas. La mayor parte, de hecho, debían estar casados. Después de haber tenido las sobras de los rufianes, eran ahora sus mujeres las que recogían los restos de las rufianas; y es que solo el pueblo llano, dueño de las primicias, no tenía desperdicios.

«¡Qué bonita danza de idas y venidas, qué hermoso intercambio era esa costumbre adoptada por una sociedad sin embargo tan mojigata!», se decía des Esseintes.

Además, la nobleza, descompuesta, había muerto. ¡La aristocracia había caído en la imbecilidad o en la inmundicia! Se extinguía en la senilidad de sus descendientes, cuyas facultades disminuían con cada generación y desembocaban en instintos de gorila fermentados en cráneos de mozos de cuadra y de jockeys, o bien, incluso, como en los casos de Choiseul-Praslin, los Polignac, los Chevreuse, rodaba en el lodo de los procesos judiciales, que la igualaban en vileza a las demás clases.

Hasta las mansiones, los blasones seculares, la dignidad heráldica, la pompa de esta antigua casta habían desaparecido. Las tierras ya no rendían, habían sido subastadas junto con los castillos, porque a los aturdidos descendientes de las viejas razas les faltaba el oro para comprar los maleficios venéreos.

Los menos escrupulosos, los menos obtusos, se despojaban de toda vergüenza; participaban en estafas, cribaban la escoria de los negocios, comparecían, como vulgares ladrones, ante los tribunales, y servían para realzar un poco la justicia humana, que, al no poder dispensarse siempre de ser parcial, acababa por nombrarlos bibliotecarios en las cárceles.

Esta avidez de ganancia, este prurito de lucro, también se había reflejado en aquella otra clase que constantemente se había apoyado en la nobleza: el clero. Ahora se veían, en las páginas preferentes de los periódicos, anuncios de sacerdotes que curaban los callos de los pies. Los monasterios se habían transformado en fábricas de boticarios y licoreros. Vendían recetas o fabricaban ellos mismos: la orden del Císter, chocolate, trapistina, sémola y tintura de árnica[150]; los hermanos maristas, bifosfato de cal medicinal y agua de arcabuz[151]; los dominicos, elixir antiapoplético; los discípulos de san Benito, benedictine; los religiosos de san Bruno, *chartreuse.*

El comercio había invadido los claustros, y en los atriles, a modo de antifonarios, reposaban los grandes libros de contabilidad. Al igual que una lepra, la avidez del siglo arrasaba la Iglesia, inclinaba a los monjes sobre inventarios y facturas, transformaba a los superiores en confiteros y curanderos, a los hermanos legos y a los conversos, en vulgares empaquetadores y boticarios de poca monta.

Y, sin embargo, a pesar de todo, solo entre los eclesiásticos podía esperar encontrar relaciones que, hasta cierto punto, tuvieran sus mismos gustos. En la sociedad de canónigos, generalmente doctos y bien educados, podría haber pasado algunas noches afables y acogedoras; pero, así y todo, habría sido necesario que compartiera sus creencias, que no flotara entre ideas escépticas y arrebatos de convicción que salían a flote de vez en cuando, empujados por los recuerdos de su infancia.

Habría sido necesario tener opiniones idénticas, no admitir, y él lo hacía gustosamente en sus momentos de ardor, un catolicismo sazonado con un poco de magia, como en tiempos de Enrique III, y con un poco de sadismo, como a finales del último siglo. Este clericalismo especial, este misticismo depravado y artísticamente perverso, hacia el que se encaminaba en ciertos momentos,

---

[150] Si el Císter nace como resultado de una reforma de los benedictinos, también los cistercienses dieron paso a una escisión en la segunda mitad del siglo XVII: la orden Cisterciense de la Estricta Observancia, más conocida como La Trapa, o trapenses. La trapistina era un licor fabricado en Francia por esta orden religiosa.

[151] Licor resultado de la maceración de más de 30 plantas medicinales. Se suponía que el arcabuz (antes «agua de arcabuz») curaba las heridas causadas por disparos de arcabuz y armas de fuego, y de ahí su nombre.

ni siquiera podía ser discutido con un sacerdote, que no le habría comprendido o le habría desterrado con horror inmediatamente.

Por enésima vez, este irresoluble problema lo agitaba. Habría querido que este estado de sospecha en el que se había debatido inútilmente en Fontenay llegara a su fin, ahora que debía empezar una nueva vida; habría querido obligarse a tener fe, a incrustársela en cuanto la tuviera, a sujetarla en el alma con crampones, a ponerla finalmente a salvo de todas esas reflexiones que la sacuden y la desarraigan; pero, cuanto más lo deseaba, más vacía estaba su mente, más tardaba en llegar la visita de Cristo. A medida que aumentaba su hambre religiosa, a medida que invocaba esa fe con todas sus fuerzas, como un rescate para el futuro, como un subsidio para su nueva vida, esa fe que se dejaba ver, pero a una distancia que le aterrorizaba recorrer, se agolpaban en su cabeza, siempre en ebullición, ideas que rechazaban su mal asentada voluntad, negando, con motivos de sentido común, con pruebas matemáticas, los misterios y los dogmas.

«Tendría que ser capaz de dejar de discutir conmigo mismo –se dijo con dolor–. Tendría que poder cerrar los ojos, dejarme llevar por esa corriente, olvidar esos malditos descubrimientos que han destruido el edificio religioso, de arriba abajo, desde hace dos siglos. Y, además –suspiró–, no son ni los fisiólogos ni los incrédulos los que demuelen el catolicismo, son los mismos curas, cuyas torpes obras arrancarían las convicciones más tenaces.»

¿No había en la biblioteca de los dominicos un doctor en teología, un fraile predicador, el padre Rouard de Card, que, con la ayuda de un folleto titulado *Sobre la falsificación de las sustancias sacramentales,* había demostrado concluyentemente que la mayor parte de las misas no eran válidas porque las materias que servían para el culto estaban adulteradas por comerciantes?

Desde hacía años, los óleos sagrados estaban adulterados con grasa de ave; la cera, con huesos calcinados; el incienso, con resina vulgar y benjuí viejo. Pero lo peor era que las sustancias indispensables para el santo sacrificio, las dos sustancias sin las cuales ninguna oblación es posible, también habían sido desnaturalizadas: el vino, con múltiples mezclas, introducciones ilícitas de palo de Pernambuco, bayas de saúco, alcohol, alumbre, salicilato, litargirio; el pan, ese pan de la eucaristía que debe amasarse con la flor de los trigos, con harina de habas, potasa y tierra de pipa[152].

Ahora, finalmente, se había llegado más lejos; se había osado suprimir completamente el trigo, y mercaderes sin escrúpulos fabricaban casi todas las hostias con fécula de patata.

Dios se negaba a descender en la fécula; era un hecho indudable, seguro. En el segundo tomo de su teología moral, su eminencia el cardenal Gousset había tratado largamente esta cuestión del fraude desde el punto de vista divino; y, siguiendo la incuestionable autoridad de este maestro, no se podía consagrar el pan compuesto de harina de avena, de trigo sarraceno o de cebada. Y, si el caso era al menos dudoso para el pan de centeno, no se podía sostener ninguna discusión ni prestarse a ningún litigio cuando se trataba de una fécula que, según la expresión eclesiástica, no era, bajo ningún concepto, materia competente del sacramento.

Debido a la rápida manipulación de la fécula y la hermosa apariencia que presentaban los panes ácimos creados con esta materia, esta indigna falsificación se había propagado tanto que la transubstanciación del misterio casi nunca se producía, y los sacerdotes y los fieles comulgaban, sin saberlo, con especies neutras.

¡Ah! ¡Qué lejos estaba el tiempo en que Radegunda, reina de Francia, preparaba ella misma el pan destinado a los altares, el tiempo en que, según las costumbres de Cluny, tres sacerdotes o

[152] Arcilla blanca.

tres diáconos, en ayunas, vestidos con el alba y el amito, se lavaban el rostro y los dedos, seleccionaban el trigo, grano a grano, lo molían bajo la muela, amasaban la pasta en agua fría y pura y lo cocían ellos mismos en un fuego claro, cantando salmos!

«Lo que no quiere decir –seguía diciéndose des Esseintes– que esta posibilidad de ser constantemente engañado, incluso en la mesa santa, no contribuya a que arraiguen creencias todavía débiles. Pero, por otro lado, ¿cómo admitir esta omnipotencia que puede ser detenida por una pizca de fécula y un soplo de alcohol?»

Estas reflexiones oscurecían aún más el panorama de su vida futura, haciendo su horizonte más amenazador y más negro.

Definitivamente, no le quedaba ningún refugio, ninguna rada. ¿Qué iba a ser de él en este París donde no tenía ni familia ni amigos? ¡Ningún vínculo lo ataba ya a ese barrio de Saint-Germain, al que le temblaba la voz de puro viejo, que se deshacía en un polvo de ranciedad y yacía como una cáscara decrépita y vacía en una sociedad nueva! Y ¿qué punto de contacto podía haber entre él y esa clase burguesa que había ido ascendiendo poco a poco, aprovechándose de todos los desastres para enriquecerse, promoviendo todo tipo de catástrofes para imponer respeto a sus atentados y engaños?

A la aristocracia de nacimiento, seguía ahora la aristocracia del dinero; era el califato de los contables, el despotismo de la calle Sentier[153], la tiranía del comercio con ideas venales y estrechas, con instintos vanidosos y falaces.

Más ladrona y más vil que la nobleza despojada y que el clero caído, la burguesía les tomaba prestadas su ostentación frívola y su jactancia caduca, que degradaba con su falta de elegancia y modales; les robaba sus defectos, que convertía en vicios hipócritas y,

[153] Barrio de los mayoristas textiles, casi todos judíos.

autoritaria y sinuosa, baja y cobarde, ametrallaba sin piedad a su eterna y necesaria víctima, el populacho, al que había quitado el bozal para que pudiera, oportunamente, saltar al cuello de las viejas castas.

Ahora era un hecho consumado. Una vez terminada su tarea, la plebe había sido, por razones de higiene, desangrada hasta la última gota; el burgués, tranquilo, reinaba, jovial, gracias a la fuerza de su dinero y a lo contagioso de su estupidez. El resultado de su advenimiento había sido el aplastamiento de toda inteligencia, la negación de toda probidad, la muerte de todo arte. Y, en efecto, los artistas, degradados, se habían arrodillado y comían, con fervor, besando los pies fétidos de los altos negociantes y los bajos sátrapas, cuyas limosnas les permitían vivir.

Lo que había en pintura era un diluvio de tonterías insulsas; en literatura, una intemperancia de estilo plano y de ideas flojas, pues al traficante en negocios le era necesario aparentar honradez; al filibustero que perseguía una dote para su hijo y se negaba a pagar la de su hija, aparentar virtud; y amor casto al volteriano que acusaba al clero de violaciones, mientras se iba a olisquear hipócritamente, estúpidamente, sin ningún arte en su depravación, en habitaciones turbias, el agua grasienta de las palanganas y el tibio polvo de las faldas sucias.

Era el gran presidio americano trasplantado a nuestro continente; era, finalmente, la inmensa, profunda, colosal vulgaridad del financiero y del advenedizo, irradiando, como un sol abyecto, sobre la ciudad idólatra que eyaculaba, postrada, impuros cánticos frente al tabernáculo impío de los bancos.

–¡Derrúmbate, sociedad! ¡Muere, viejo mundo! –exclamó des Esseintes, indignado por la ignominia del espectáculo que evocaba.

Este grito rompió la pesadilla que lo oprimía.

–¡Ah! –dijo–. ¡Y pensar que todo esto no es un sueño! ¡Pensar que voy a regresar a la infame y servil muchedumbre del siglo!

Llamaba en su auxilio, para cicatrizarse, a las consoladoras máximas de Schopenhauer; se repetía el doloroso axioma de Pascal: «El alma no ve nada que no la aflija cuando piensa», pero las palabras resonaban en su cabeza como sonidos sin sentido; su aburrimiento las desintegraba, les quitaba todo significado, toda virtud sedativa, toda fuerza efectiva y suave.

Finalmente se daba cuenta de que los razonamientos del pesimismo eran impotentes para aliviarlo, que la imposible creencia en una vida futura sería el único calmante.

Un acceso de rabia barría, como un huracán, sus intentos de resignación, sus tentativas de indiferencia. No podía disimularlo, no había nada, nada más, todo se había derrumbado. Los burgueses se lo zampaban todo, lo mismo que en Clamart[154], en papel grasiento, bajo las grandiosas ruinas de la Iglesia, un montón de escombros mancillados por inefables burlas y escandalosas chocarrerías, que se habían convertido en un lugar de cita. ¿Es que, para demostrar de una vez por todas que existía, no iba el terrible Dios del Génesis, el pálido Desclavado del Gólgota, a reanimar los cataclismos extinguidos, a reavivar las lluvias de fuego que consumieron las ciudades otrora reprobadas y las villas muertas? ¿Es que este fango iba a seguir fluyendo y cubriendo con su pestilencia este viejo mundo, donde ya no crecen más que sembraduras de iniquidades y cosechas de oprobios?

La puerta se abrió bruscamente; a lo lejos, encuadrados por el marco de la puerta, aparecieron hombres con un tricornio en la cabeza, las mejillas afeitadas y una mosca de pelo bajo el labio,

---

[154] Municipio del sudoeste de París adonde iban los parisienses a comer en el campo, en la hierba, las viandas que llevaban envueltas en papel.

manejando cajas y transportando muebles. Luego la puerta se cerró tras el criado, que llevaba paquetes de libros.

Des Esseintes cayó, abrumado, en una silla.

–Dentro de dos días estaré en París –dijo–. Vamos, todo ha terminado; como en un maremoto, las olas de la mediocridad humana suben hasta el cielo y engullirán el refugio cuyas compuertas abro, muy a mi pesar. ¡Ah! ¡Me falla el ánimo y me dan náuseas! ¡Señor, ten piedad del cristiano que duda, del incrédulo que quisiera creer, del condenado de la vida que se embarca solo, en la noche, bajo un firmamento que ya no iluminan los consoladores faros de la vieja esperanza!

Prefacio escrito veinte años después de la publicación de la novela

Creo que todas las personas de letras son como yo, que nunca vuelven a leer sus obras una vez publicadas. Nada es, de hecho, más desilusionante, más penoso, que mirar, después de años, sus propias frases. Estas se han decantado y depositado en el fondo del libro; y, la mayoría de las veces, los volúmenes no son como los vinos, que mejoran con el tiempo; una vez decantados por la edad, los capítulos se oxigenan y su buqué se marchita.

Tuve esta impresión con ciertos frascos guardados en el estante de *A contrapelo,* cuando tuve que abrirlos.

Y, bastante melancólicamente, trato de recordar, hojeando esas páginas, el estado de ánimo que podía tener en el momento de escribirlas.

Por aquel entonces estábamos en pleno naturalismo; pero esta escuela, que debía prestar el inolvidable servicio de situar personajes reales en entornos exactos, estaba condenada a repetirse, pateando el suelo sin moverse.

Apenas admitía, al menos en teoría, la excepción; se limitaba, por tanto, a la pintura de la existencia común, esforzándose, con el pretexto de ser realista, en crear seres que fueran lo más semejantes posible a la media de la gente. Este ideal se había realizado, en su género, en una obra maestra que ha sido, mucho más que *La taberna,* la novela naturalista por antonomasia: *La educación sentimental,* de Gustave Flaubert. Esta novela era, para todos los que componíamos *Las veladas de Médan,* una verdadera biblia; pero solo admitía unas pocas relecturas[155]. Era una novela acabada, irrepetible incluso para el propio Flaubert; así que todos estábamos, en ese tiempo, reducidos a zigzaguear, a merodear a su alrededor por caminos más o menos explorados.

Siendo la virtud, hay que admitirlo, una excepción aquí abajo, estaba, por eso mismo, excluida del plan naturalista. Al no poseer el concepto católico de la decadencia y la tentación, ignorábamos de qué esfuerzos, de qué sufrimientos derivaba. El heroísmo del alma victoriosa de las asechanzas se nos escapaba. No se nos habría ocurrido describir esa lucha, con sus altibajos, con sus ataques tortuosos y sus engaños, y también con sus hábiles ayudas, que se preparan a menudo muy lejos de la persona a la que el Maldito ataca en el fondo de un claustro; la virtud nos parecía el atributo de seres sin curiosidad o desprovistos de sentidos, poco emocionante, en cualquier caso, para ser tratada desde la perspectiva del arte.

Quedaban los vicios; pero su campo de cultivo era muy restringido. Se limitaba a los territorios de los siete pecados capitales y aún, de estos siete, solo uno, el del sexto mandamiento de la Ley de Dios, era más o menos accesible.

Los otros habían sido exhaustivamente vendimiados y apenas quedaban uvas que desgranar. La Avaricia, por ejemplo, había sido exprimida hasta su última gota por Balzac y por Hello. El Orgullo, la Ira, la Envidia se arrastraban por todas las publicaciones románticas, y estos temas, de los que se ocupan los dramas, habían sido tan violentamente deformados por el abuso de las es-

[155] Zola recibía a un grupo de amigos –todos naturalistas, entre ellos Huysmans– en su casa de Médan (hoy museo Émile Zola) no lejos de París, a orillas del Sena. El grupo contribuyó a la edición de una colección de relatos, publicado en 1880, con el título de *Las veladas de Médan.*

cenas que, realmente, se habría exigido mucho genio para rejuvenecerlos en un libro. En cuanto a la Gula y la Pereza, parecían poder encarnarse más bien en personajes episódicos y convenir mejor a comparsas que a personajes principales o a protagonistas de novelas de costumbres.

La verdad es que el Orgullo habría sido el más magnífico de los crímenes dignos de estudio, en sus ramificaciones infernales de crueldad para con el prójimo y de falsa humildad; que la Gula, remolcando a la Lujuria y la Pereza, y el Robo habrían sido materia para sorprendentes excavaciones si se hubieran escrutado estos pecados con la lámpara y el soplete de la Iglesia y teniendo Fe; pero ninguno de nosotros estaba preparado para esta tarea. Estábamos, por tanto, obligados a rumiar, entre todos, el delito más fácil de desentrañar, el pecado de la Lujuria en todas sus formas. Y bien sabe Dios que lo rumiamos, pero esta especie de carrusel tenía poco recorrido. Fuera lo que fuere que se inventara, la novela se podía resumir en estas pocas líneas: saber por qué el señor Fulano cometía o no cometía adulterio con la señora Zutana; y, si uno se quería distinguir y revelarse como un autor de buen tono, se situaba la obra carnal entre una marquesa y un conde; si se quería, por el contrario, ser un escritor populachero, un prosista fácil, se ubicaba entre un pretendiente de extrarradio y una chica cualquiera; solo el escenario difería. La distinción parece haber prevalecido ahora en las preferencias del lector, pues veo que en la actualidad no se deleita gran cosa con los amores plebeyos o burgueses, sino que sigue saboreando las vacilaciones de la marquesa, al ir a verse con su tentador en un pequeño entresuelo cuyo aspecto cambia según la moda tapicera del momento. ¿Caerá? ¿No caerá? Se supone que eso es estudio psicológico. Lo acepto.

Confieso, sin embargo, que, cuando abro un libro y veo la eterna seducción y el no menos eterno adulterio, me apresuro a cerrarlo, sin ningún deseo de saber cómo terminará el idilio anunciado. El volumen que no contiene documentos verificados, el libro que no me enseña nada, ya no me interesa.

En el momento en que apareció *A contrapelo*, es decir, en 1884, la situación era la siguiente: el naturalismo se estaba agotando, la rueda giraba en el mismo círculo. La cantidad de observaciones que cada uno había acumulado, tomándolas de sí mismo y de los demás, empezaba a agotarse. Zola, que era un buen decorador de teatro, se las arreglaba pintando cuadros más o menos precisos; sugería muy bien la ilusión del movimiento y de la vida; sus héroes carecían de alma, gobernados simplemente por impulsos e instintos, lo que simplificaba el trabajo de análisis. Se movían, realizaban algunos actos sumarios, poblaban, con siluetas bastante verdaderas, decorados que se convertían en los personajes principales de sus dramas. Celebraba de esta manera los mercados, los almacenes de novedades –los grandes almacenes–, los ferrocarriles, las minas; y los seres humanos extraviados en esos ambientes no desempeñaban ya más que el papel de utilería y figurantes. Pero Zola era Zola, es decir, un artista algo tosco, aunque dotado de poderosos pulmones y fuertes puños.

Nosotros, menos fornidos y preocupados por un arte más sutil y más verdadero, debíamos preguntarnos si el naturalismo no llevaba a un callejón sin salida y si no íbamos a chocar muy pronto contra la pared del fondo.

A decir verdad, estas reflexiones solo surgieron en mí mucho más tarde. Trataba vagamente de escapar de un callejón sin salida en el que me asfixiaba, pero no tenía ningún plan determinado. Y *A contrapelo,* que me liberó de una literatura sin salida, aireándome, es una obra completamente inconsciente, imaginada sin ideas preconcebidas, sin intenciones con vistas al futuro, sin nada de nada.

Primero se me apareció como una breve fantasía en forma de un extraño relato; lo veía un poco como un complemento de *A pique*[156] transferido a otro mundo; me imaginaba a un señor Folantin, más letrado, más refinado, más rico, que había descubierto en el artificio un desahogo ante el disgusto que le inspiraban las molestias de la vida y las costumbres americanas de su tiempo; lo perfilaba huyendo a toda prisa en el sueño, refugiándose en la ilusión de extravagantes fantasías, viviendo, solo, lejos de su siglo, en el recuerdo evocado de épocas más cordiales, de entornos menos viles.

Y, a medida que reflexionaba sobre ello, el tema se expandía y requería investigaciones pacientes: cada capítulo se convertía en el concentrado de una especialidad, la esencia de un arte diferente; se condensaba en un *of meat*[157] de joyas, de perfumes, de flores, de literatura religiosa y laica, de música profana y de canto llano.

Lo extraño fue que, sin haberme dado cuenta al principio, me vi llevado por la naturaleza misma de mis trabajos a estudiar la Iglesia en sus muchas facetas. De hecho, era imposible remontarse a las únicas eras verdaderas que ha conocido la humanidad, hasta la Edad Media, sin constatar que Ella, la Iglesia, lo dominaba todo, que el arte solo existía en Ella y por Ella. No teniendo fe, la observaba, un poco desconfiado, sorprendido por su magnitud y su gloria, preguntándome cómo una religión que me parecía hecha para niños había podido inspirar obras tan maravillosas.

Vagaba un poco a tientas a su alrededor, adivinando más de lo que veía, reconstruyendo, con los fragmentos que encontraba en los museos y los libros, un conjunto. Y hoy, al recorrer, tras inves-

[156] *À vous-l'eau,* novela corta de Huysmans publicada en 1882 en Bruselas, cuyo personaje principal es el señor Folantin.

[157] En inglés en el original. Fórmula abreviada de *extract of meat,* extracto de carne, es decir, jugo concentrado.

tigaciones más largas y seguras, las páginas de *A contrapelo* que se refieren al catolicismo y al arte religioso, me doy cuenta de que ese minúsculo panorama, pintado en hojas de un bloc de notas, es exacto. Lo que pinté entonces era sucinto, carecía de desarrollo, pero era veraz. Desde entonces, me he limitado a ampliar mis esbozos y a perfeccionarlos.

Podría muy bien firmar ahora las páginas de *A contrapelo* sobre la Iglesia, ya que parecen haber sido, en efecto, escritas por un católico.

¡Y yo que me creía lejos de la religión! No pensaba que, de Schopenhauer, a quien admiraba más de lo razonable, al Eclesiastés y al Libro de Job, solo había un paso. Las premisas sobre el pesimismo son las mismas; solo que, cuando se trata de concluir, el filósofo se evade. Me gustaban sus ideas sobre el horror de la vida, sobre la estupidez del mundo, sobre la inclemencia del destino. Y me gustan igualmente en las Sagradas Escrituras; pero las observaciones de Schopenhauer no llevan a nada; te dejan, por así decir, a medio camino; sus aforismos no son, en suma, más que un herbario de quejas secas. La Iglesia, en cambio, explica los orígenes y las causas, señala los fines, presenta los remedios; no se contenta con darte una consulta sobre tu alma, te trata y te cura, mientras que el medicastro alemán, después de haberte demostrado que la afección que sufres es incurable, te da la espalda con una sonrisa sarcástica.

Su pesimismo no es otro que el de las Escrituras, de las que lo ha tomado prestado. No ha dicho más que Salomón, más que Job, ni siquiera más que la *Imitación de Cristo,* que resumió, mucho antes que él, toda su filosofía en una frase: «¡Es realmente una miseria vivir en la tierra!».

Con la distancia, estas similitudes y diferencias se vuelven claras, pero en esa época, aunque las percibía, no me detenía en ellas; la necesidad de concluir no me lo permitía. El camino trazado por Schopenhauer era transitable y de aspecto variado, me paseaba tranquilamente por él, sin deseo de conocer su final. En ese tiempo, no tenía ninguna claridad real sobre los plazos de las cuentas pendientes, ningún temor a los desenlaces; los misterios del catecismo me parecían infantiles. Como todos los católicos, por lo demás, ignoraba perfectamente mi religión; no me daba cuenta de que todo es un misterio, de que solo vivimos en el misterio, de que, si existiera el azar, sería aún más misterioso que la Providencia. No admitía el dolor infligido por un Dios, me imaginaba que el pesimismo podría ser el consuelo de las almas elevadas. ¡Qué tontería! Eso es lo que era poco experimental, poco documento humano, por servirme de un término querido por el naturalismo. ¡Jamás el pesimismo ha consolado ni a los enfermos del cuerpo ni a los postrados del alma!

Sonrío, al releer, después de tantos años, las páginas donde se afirman estas teorías, tan rotundamente falsas.

Pero lo que más me sorprende en esta lectura es esto: todas las novelas que he escrito desde *A contrapelo* están contenidas en germen en este libro. Los capítulos no son, de hecho, más que los inicios de los volúmenes que los siguieron.

El capítulo sobre la literatura latina de la Decadencia lo he, si no desarrollado, al menos profundizado, al tratar de la liturgia en *En camino* y en *L'Oblat*. Lo imprimiría hoy, sin cambiarle nada, salvo en lo que se refiere a san Ambrosio, del que sigo sin apreciar su prosa acuosa y su retórica ampulosa. Me sigue pareciendo tal como lo calificaba –«el tedioso Cicerón cristiano»–, pero, en cambio, el poeta es encantador; y sus himnos y los de su escuela, que figuran en el Breviario, están entre los más bellos que ha conservado la Iglesia. Añado que la literatura un poco especial, es cierto, del himnario podría haber tenido sitio en la sección reservada de este capítulo.

Lo mismo que en 1884, no me fascina actualmente el latín clásico de Marón y el Garbanzo[158]. Como en los tiempos de *A contrapelo,* prefiero la lengua de la Vulgata a la del siglo de Augusto, e incluso a la de la Decadencia, más curiosa, sin embargo, con su aroma de caza de agua y sus tonos marmolados de caza mayor. La Iglesia, que, después de desinfectarla y rejuvenecerla, creó, para abordar un orden de ideas no expresadas hasta entonces, exquisitos vocablos grandilocuentes y diminutivos tiernos, me parece que se ha forjado un lenguaje muy superior al dialecto del paganismo, y Durtal[159] sigue pensando, al respecto, como Des Esseintes.

El capítulo de las piedras preciosas lo retomé en *La catedral,* ocupándome de él desde el punto de vista de la simbología de las gemas. He animado las pedrerías muertas de *A contrapelo.* Sin duda, no niego que una hermosa esmeralda pueda ser admirada por las chispas que saltan del fuego de su limpidez verde, pero ¿no es, si se ignora el idioma de los símbolos, una desconocida, una extraña con la que no se puede conversar y que guarda silencio porque no comprendemos sus expresiones? Ahora bien, una esmeralda es más y mejor que eso.

Sin admitir, con un viejo autor del siglo XVI, Estienne de Clave, que las piedras preciosas se engendran, al igual que las personas naturales, con una semilla esparcida en la matriz del suelo, se puede decir muy bien que son minerales significativos, sustancias locuaces, que son, en una palabra, símbolos. Han sido consideradas bajo este aspecto desde la más alta antigüedad, y la tropología de las gemas es una de las ramas de esta simbología cristiana, tan completamente olvidada por los sacerdotes y los laicos de nuestro

---

158 Publio Virgilio Marón (70 a. C.-19 a. C.), más conocido por Virgilio. Garbanzo, mote de Cicerón.

159 Personaje central de la tetralogía *Le Roman de Durtal* (compuesta por *Allá lejos*, *En camino*, *La catedral* y *L'Oblat)* a través del cual Huysmans reconstruye las etapas de su conversión.

tiempo, cuyas grandes líneas he intentado reconstruir en mi volumen sobre la basílica de Chartres.

El capítulo de *A contrapelo* solo es superficial, trata el asunto apenas rozándolo. No es lo que debería ser, una joyería del más allá. Se compone de estuches más o menos bien descritos, más o menos bien dispuestos en una vitrina, pero eso es todo y no es suficiente.

La pintura de Gustave Moreau, los grabados de Luyken, las litografías de Bresdin y de Redon las veo ahora como las veía entonces. No tengo nada que modificar en la disposición de este pequeño museo.

En cuanto al terrible capítulo VI, cuyo número corresponde, sin intenciones preconcebidas, al del mandamiento de Dios que ofende, y a ciertas partes del IX, que pueden unirse a él, evidentemente ya no los escribiría de la misma manera. Habría sido necesario, al menos, explicarlos de una forma más estudiada, por esa perversidad diabólica que se inserta, desde un punto de vista lujurioso, sobre todo, en las mentes agotadas de las personas. Parece, en efecto, que las enfermedades nerviosas que las neurosis abren en el alma son fisuras por las que penetra el Espíritu del Mal. Hay aquí un enigma aún no elucidado; la palabra «histeria» no resuelve nada; puede ser suficiente para precisar un estado material, dar cuenta de rumores irresistibles de los sentidos, pero no explica las consecuencias espirituales que se le asocian y, más particularmente, los pecados de disimulo y mentira que casi siempre se insertan en él. ¿Cuáles son las causas y consecuencias de esta enfermedad que tiene también una dimensión pecaminosa? ¿En qué proporción se atenúa la responsabilidad del ser afectado en su alma por una especie de posesión que se injerta en el desorden de su desdichado cuerpo? Nadie lo sabe; en esta materia, la medicina desvaría y la teología guarda silencio.

En ausencia de una solución que evidentemente no podía aportar, des Esseintes debería haber considerado la cuestión desde el punto de vista de la culpa y haber expresado al menos algún arrepentimiento. Se abstuvo de vituperarse, e hizo mal; pero, aunque fue educado por los jesuitas, de quienes hace elogio –más que Durtal–, con el tiempo se volvió muy rebelde a las restricciones divinas, ¡tan empeñado en revolcarse en su limo carnal!

En cualquier caso, estos capítulos parecen ser hitos inconscientemente plantados para indicar el camino hacia *Allá lejos*. Además, cabe observar que la biblioteca de des Esseintes tenía un cierto número de libros de magia y que las ideas enunciadas en el capítulo VII de *A contrapelo* sobre el sacrilegio son el anzuelo de un futuro volumen que trata el tema con mayor profundidad.

Este libro, *Allá lejos,* que asustó a tanta gente, no lo escribiría de la misma manera, ahora que he vuelto a ser católico. Es cierto que el lado criminal y sensual que se desarrolla en él es reprobable; y, sin embargo, lo afirmo, lo he suavizado, no lo he dicho todo. Los documentos que figuran en él, en comparación con los que omití y que tengo en mis archivos, son insulsos caramelos, simples chucherías.

Creo, sin embargo, que, a pesar de sus demencias y sus locuras del bajo vientre, esta obra, por el tema mismo que expone, ha prestado un servicio. Ha llamado la atención sobre las maniobras del Maligno, que había logrado hacerse negar. Ha sido el punto de partida de todos los estudios que se han renovado sobre el eterno proceso contra el satanismo; ha ayudado, al revelarlas, a aniquilar las odiosas prácticas de las invocaciones a espíritus malignos; en suma, ha tomado partido y combatido muy resueltamente a favor de la Iglesia contra el Demonio.

Para volver a *A contrapelo,* del cual no es más que una secuela, puedo repetir sobre las flores lo que ya he contado a cuenta de las piedras.

A contrapelo solo las considera desde el punto de vista de los contornos y las tonalidades, y en absoluto desde el punto de vista de los significados que revelan. Des Esseintes solo ha elegido orquídeas extrañas, aunque taciturnas. Conviene agregar que habría sido difícil hacer hablar en este libro a una flora afectada por la alalia, una flora muda, porque el idioma simbólico de las plantas murió con la Edad Media y las criollas vegetales mimadas por des Esseintes eran desconocidas para los alegoristas de la época.

La contrapartida de esta botánica la he escrito después, en *La catedral,* a propósito de esa horticultura litúrgica que ha suscitado páginas tan curiosas de santa Hildegarda, san Melitón y san Eucario.

Distinta es la cuestión de los olores, cuyos emblemas místicos he desvelado en el mismo libro.

Des Esseintes solo se ocupó de los perfumes laicos, simples o extraídos, y de los perfumes profanos, compuestos o buqués.

También podría haber experimentado con los aromas de la Iglesia: el incienso, la mirra y esa extraña mezcla de sustancias llamada timiama, que menciona la Biblia y que aún está indicada en el ritual para ser quemada, junto con el incienso, bajo el vaso de las campanas, durante su bautizo por el obispo, después de ser lavadas con agua bendita y marcadas con el santo crisma y el óleo de los enfermos. Pero esta fragancia parece olvidada incluso por la Iglesia, y creo que un cura quedaría muy sorprendido si se le pidiera timiama.

La receta, sin embargo, está consignada en el Éxodo. El timiama se componía de estoraque, gálbano, incienso y ónix, y esta última sustancia no sería otra cosa que la valva de cierto molusco del género de los múrices, que se obtiene del dragado de los pantanos de las Indias.

Ahora bien, es difícil, por no decir imposible, dado lo incompleto de las indicaciones sobre este molusco y su lugar de procedencia, preparar un auténtico timiama. Y es una lástima porque, si hubiera sido de otro modo, este perfume perdido habría seguramente excitado en des Esseintes las fastuosas evocaciones de las galas ceremoniales, de los ritos litúrgicos de Oriente.

En cuanto a los capítulos sobre la literatura laica y religiosa, al igual que el dedicado a la literatura latina, a mi juicio siguen siendo acertados. El dedicado al arte profano ayudó a destacar a poetas que eran poco conocidos por el público en ese momento: Corbière, Mallarmé, Verlaine. No tengo nada que quitar de lo que escribí hace diecinueve años; he conservado mi admiración por estos escritores; incluso se ha acrecentado la que profesaba por Verlaine. Arthur Rimbaud y Jules Laforgue habrían merecido figurar en la antología de des Esseintes, pero aún no habían publicado nada en esa época, y fue solo mucho después cuando sus obras aparecieron.

Por otra parte, no me imagino que pueda llegar alguna vez a saborear los autores religiosos modernos que *A contrapelo* destroza. No me sacarán de la idea de que la crítica del difunto Nettement es estúpida y que la señora de Augustin Craven y la señorita Eugénie de Guérin son unas muy linfáticas pedantes literatas de poca monta y unas muy devotas machorras. Sus brebajes me parecen insípidos; des Esseintes ha transmitido a Durtal su gusto por las especias, y creo que ambos se entenderían lo suficientemente bien para preparar, en lugar de estos jarabes, una esencia de arte impregnada de jengibre.

Tampoco he cambiado de opinión sobre la literatura de la fraternidad de Poujoulat y Genoude, pero ahora sería menos duro con el padre Chocarne, mencionado en un lote de piadosos cacógrafos, porque al menos redactó algunas páginas sustanciales sobre la mística en su introducción a las obras de san Juan de la

Cruz. Y también sería más indulgente con de Montalembert, quien, a falta de talento, nos ha legado una obra incoherente y desigual, pero al fin conmovedora, sobre los monjes. Ya no escribiría, sobre todo, que las visiones de Angèle de Foligno son tontas y etéreas; la verdad es lo contrario; pero debo alegar, en mi defensa, que solo las había leído en la traducción de Hello. Ahora bien, él estaba poseído por la manía de podar, edulcorar, agrisar a los místicos, por miedo de atentar contra la falsa modestia de los católicos. Sometió la prensa una obra ardiente, llena de savia, y solo extrajo un jugo incoloro y frío, mal calentado al baño maría con la pobre lamparilla de su estilo.

Dicho esto, aunque, en tanto que traductor, Hello se revelaba como un afeminado y un meapilas, es justo afirmar que cuando operaba por su propia cuenta era un operario de ideas originales, un exégeta perspicaz, un analista realmente poderoso. Incluso era, entre los escritores de su cuerda, el único que pensaba. Me uní a d'Aurevilly para promover la obra de este hombre tan incompleto, pero tan interesante, y creo que *A contrapelo* ha ayudado al pequeño éxito que su mejor libro, *El hombre,* ha obtenido desde su muerte.

La conclusión de este capítulo sobre la literatura eclesiástica moderna era que, entre los castrados del arte religioso, solo había un semental, Barbey d'Aurevilly; y esta opinión sigue siendo resueltamente exacta. Este fue el único artista, en el puro sentido de la palabra, que produjo el catolicismo de ese tiempo; fue un gran prosista, un novelista admirable, cuya audacia hacía rebuznar a la beatería, exasperada por la vehemencia explosiva de sus frases.

Finalmente, si algún capítulo puede considerarse como el punto de partida de otros libros, es precisamente el del canto llano, que he ampliado desde entonces en todos mis volúmenes, *En camino* y, especialmente, *L'Oblat.*

Después de este breve examen de cada una de las especialidades dispuestas en las vitrinas de *A contrapelo,* la conclusión que se impone es esta: este libro fue el comienzo de mi obra católica, que se encuentra en él completa, en germen.

Y la incomprensión y la estupidez de algunos santurrones y de algunos exaltados del sacerdocio me parecen, una vez más, insondables. Durante años reclamaron la destrucción de esta obra, de la cual no poseo, por cierto, la propiedad, sin darse siquiera cuenta de que los volúmenes místicos que lo siguieron son incomprensibles sin este, pues es, repito, el tronco del que surgieron todos. ¿Cómo apreciar, además, la obra de un escritor en su conjunto si no se la toma desde sus comienzos, si no se la sigue paso a paso? ¿Cómo, sobre todo, darse cuenta del progreso de la Gracia en un alma si se suprimen las huellas de su paso, si se borran las primeras impresiones que dejó?

Lo seguro, en todo caso, es que *A contrapelo* rompía con los precedentes, *Las hermanas Vatard, En ménage, A pique,* y que me comprometía en un camino del que ni siquiera sospechaba la salida.

Mucho más sagaz que los católicos, Zola lo entendió perfectamente. Recuerdo que fui a pasar, después de la aparición de *A contrapelo,* unos días en Médan. Una tarde, mientras paseábamos los dos por el campo, se detuvo bruscamente y, con una mirada sombría, me reprochó el libro, diciendo que asestaba un golpe terrible al naturalismo, que estaba desviando la escuela, que además estaba quemando mis naves con semejante novela porque ningún otro género de literatura era posible en ese género agotado en un solo tomo; y, amistosamente –pues era un hombre muy bondadoso–, me incitó a volver al camino trazado, a trabajar en un estudio de costumbres.

Le escuchaba, pensando que estaba al mismo tiempo acertado

y equivocado –acertado, al acusarme de socavar el naturalismo y de bloquearme todo camino–, pero estaba equivocado en el sentido de que la novela, tal como él la concebía, me parecía moribunda, agotada por las repeticiones, sin interés, lo quisiera o no, para mí.

Había muchas cosas que Zola no podía comprender. En primer lugar, esa necesidad que yo sentía de abrir las ventanas, de huir de un entorno donde me asfixiaba; después, el deseo que me invadía de sacudirme los prejuicios, de romper los límites de la novela, de hacer que en ella entraran el arte, la ciencia, la historia; en una palabra, de no volver a servirme de ella más que como un marco en el que insertar trabajos más serios. Eso era lo que me martilleaba sobre todo en esa época, suprimir la intriga tradicional, e incluso la pasión, la mujer, concentrar el pincel de luz en un solo personaje, hacer a toda costa algo nuevo.

Zola no respondía a estos argumentos con que intentaba convencerlo, y repetía constantemente su afirmación: «No admito que se cambie de manera ni de opinión; no admito que se queme lo que se ha adorado».

¡Ah! ¡Eso es! ¿No ha desempeñado él también el papel del buen sicambro[160]? En efecto, aunque no modificó su procedimiento de composición y escritura, al menos varió su forma de concebir la humanidad y de explicar la vida. Después del negro pesimismo de sus primeros libros, ¿no tuvimos, bajo la apariencia de socialismo, el optimismo beatífico de los últimos?

Hay que decirlo, nadie comprendía menos el alma que los naturalistas que se proponían observarla. Veían la existencia como

---

[160] Alusión a la conversión de Clovis, rey de los sicambros, tribu que habitó antiguamente en la Germania septentrional, cerca del Rin, y pasó luego a la Galia belga, donde se unió con los francos. En el momento de bautizarlo en 496, el obispo Remi le habría dicho: «Inclínate, orgulloso sicambro, quema lo que has adorado y adora lo que has quemado».

algo de una sola pieza; solo la aceptaban condicionada por elementos verosímiles, y he aprendido por experiencia que lo inverosímil no siempre es una excepción en el mundo, que las aventuras de Rocambole son a veces tan exactas como las de Gervaise y Coupeau[161].

Pero la idea de que des Esseintes pudiera ser tan real como sus personajes desconcertaba, incluso irritaba a Zola.

Hasta aquí, en estas pocas páginas, he hablado de *A contrapelo* sobre todo desde el punto de vista de la literatura y el arte. Ahora debo hablar desde el punto de vista de la Gracia, mostrar qué parte de lo desconocido, qué proyección de un alma, que el autor ignora, puede haber a menudo en un libro.

Esa orientación tan clara, tan neta, de *A contrapelo* hacia el catolicismo me resulta, lo admito, incomprensible.

No fui educado en escuelas religiosas, sino en un liceo, nunca fui piadoso en mi juventud, y por lo que toca a recuerdos de infancia, de primera comunión, de educación, que a menudo ocupan un lugar importante en la conversión, no desempeñaron ningún papel en la mía. Y lo que complica aún más la dificultad y desconcierta todo análisis es que, cuando escribí el libro, no ponía un pie en una iglesia, no conocía a ningún católico practicante, a ningún sacerdote; no experimentaba ningún toque divino que me incitara a dirigirme hacia la Iglesia, vivía en mi pesebre, tranquilo; me parecía completamente natural satisfacer los caprichos de mis sentidos, y ni siquiera se me ocurría que este tipo de comportamiento estuviera prohibido.

A contrapelo apareció en 1884 y partí, para convertirme, hacia un monasterio trapense en 1892; casi ocho años transcurrieron

[161] Personajes de *La taberna* (1887), obra que consagró a Zola como jefe de fila de la corriente naturalista.

antes de que germinaran las semillas de este libro. Tomemos dos años, incluso tres, de un trabajo de la Gracia, sordo, tenaz, a veces perceptible; aun así, quedarían cinco años durante los que no recuerdo haber sentido ninguna inclinación católica, ningún arrepentimiento por la vida que llevaba, ningún deseo de cambiarla. ¿Por qué, cómo, fui encaminado por una vía que entonces estaba perdida para mí en la oscuridad? Soy absolutamente incapaz de decirlo; nada, salvo ascendencias de beguinatos y claustros, oraciones de una familia holandesa muy fervorosa que apenas conocí, explicaría la perfecta inconsciencia del último grito, la llamada religiosa de la última página de *A contrapelo*.

Sí, lo sé bien, hay personas muy fuertes que trazan planes, organizan con antelación los itinerarios de su existencia y los siguen; incluso se dice, si no me equivoco, que con voluntad se logra todo; estoy dispuesto a creerlo, pero confieso que nunca he sido un hombre tenaz ni un escritor astuto. Mi vida y mi literatura tienen una parte de pasividad, de desconocido, de dirección fuera de mí muy cierta.

La Providencia fue misericordiosa conmigo y la Virgen me fue benévola. Me limité a no contradecirlas cuando mostraron sus intenciones: simplemente obedecí, fui guiado por lo que se conoce como «vías extraordinarias»[162] y, si alguien puede tener la certeza de la nada que sería sin la ayuda de Dios, ese soy yo.

Las personas que no tienen Fe objetarán que, con ideas como estas, uno no está lejos de caer en el fatalismo y en la negación de toda psicología.

Y no es así porque la Fe en Nuestro Señor no es fatalismo. El libre albedrío permanece a salvo. Podía, si lo deseaba, continuar

[162] En teología se conocen como «vías extraordinarias» las conversiones, las iluminaciones y visiones en las que opera la Gracia de Dios.

cediendo a las emociones lujuriosas, quedarme en París y no ir a sufrir en una Trapa. Dios, sin duda, no habría insistido; pero, al tiempo que certifico que la voluntad queda intacta, debo admitir, sin embargo, que el Salvador pone mucho de su parte, que te asedia, te acorrala, te «cocina», por usar un término enérgico de la baja policía cuando interroga para obtener una confesión; pero repito, uno puede, por su cuenta y riesgo, mandarlo a paseo.

En cuanto a la psicología, es otra cosa. Si la consideramos, como yo la considero, desde el punto de vista de una conversión, le es imposible desentrañar sus preámbulos. Algunos aspectos pueden ser tangibles, pero otros no; el trabajo subterráneo del alma se nos escapa. Sin duda hubo, en el momento en que escribía *A contrapelo,* un movimiento de tierras, una excavación del suelo para poner los cimientos, de lo que no me di cuenta. Dios cavaba para colocar sus hilos, pero solo actuaba en la oscuridad del alma, en la noche. Nada era perceptible; solo muchos años después comenzó a correr la chispa a lo largo de los hilos. Entonces sentí conmovérseme el alma con estas sacudidas. No se trataba aún de algo ni muy doloroso ni muy claro: la liturgia, la mística, el arte eran sus vehículos o los medios. Esto ocurría generalmente en las iglesias, especialmente en Saint-Séverin, donde entraba por curiosidad, por aburrimiento. Al asistir a las ceremonias, solo experimentaba una trepidación interior, ese pequeño temblor que uno siente al ver, escuchar o leer una obra bella, pero no había un ataque preciso, una exigencia de pronunciarse.

Solo me separaba poco a poco de mi caparazón de impureza; empezaba a revolverme contra mí mismo, pero aún me resistía a los artículos de la Fe. Las objeciones que me planteaba me parecían irresistibles; y una mañana, al despertar, se resolvieron, sin que jamás haya sabido cómo. Recé por primera vez y se produjo la explosión.

Todo esto puede parecer una locura para quienes no creen en la Gracia. Para aquellos que han sentido sus efectos, ningún asombro es posible. Y las sorpresas, de haberlas, solo podrían darse en el período de incubación, esa etapa en la que no se ve ni se percibe nada, en el período de excavación y de cimentación, del que ni siquiera se sospecha.

Comprendo, en suma, hasta cierto punto, lo que sucedió entre los años 1891 y 1895, entre *Allá lejos* y *En camino,* y nada en absoluto de lo sucedido entre los años 1884 y 1891, entre *A contrapelo* y *Allá lejos.*

Si yo mismo no lo comprendí, con mayor razón los demás no comprendieron los impulsos de des Esseintes. *A contrapelo* cayó como un aerolito en el campo de la feria literaria; y causó tanto estupor como cólera. La prensa perdió los estribos; nunca había divagado en tantos artículos; después de haberme tratado de misántropo impresionista y haber calificado a des Esseintes de maníaco y de imbécil complicado, los *normaliens*[163] como el señor Lemaître se indignaron porque no elogiaba a Virgilio y declararon, en un tono perentorio, que los decadentes de la lengua latina, en la Edad Media, no eran más que «chiflados y cretinos». Otros, aprendices de crítico, se sintieron en la obligación de decirme que me sería beneficioso someterme, en una prisión termal, al látigo de las duchas. Llegado su turno, los conferenciantes metieron baza: en la Sala de los Capuchinos, el arconte Sarcey[164] gritaba, desconcertado: «¡Que me cuelguen si entiendo una sola palabra de esta novela!». Finalmente, para que no faltara nada, las revistas serias, como la *Revue des Deux Mondes,* contrataron al conspicuo

---

[163] Alumnos de la Escuela Normal Superior, en París, centro de gran prestigio en Francia.

[164] Francisque Sarcey (1827-1899), periodista, profesor y crítico literario, era la diana preferida de los escritores y artistas innovadores.

periodista, el señor Brunetière, para que comparara esta novela con los vodeviles de Waflard y Fulgence.

En este caos, solo un escritor vio con claridad, Barbey d'Aurevilly, quien, por cierto, no me conocía en absoluto. En un artículo en el *Constitutionnel* de fecha 28 de julio de 1884, que fue recopilado en su volumen *Le roman contemporain,* publicado en 1902, escribió: «Después de un libro así, al autor solo le queda elegir entre la boca de una pistola o los pies de la cruz».

Hecho está.

J.-K. Huysmans
1903

Este libro se acabó de imprimir en febrero de 2025

en los talleres de Liberdúplex, s. l.

Ctra. BV 2241, km 7,4

Polígono Torrentfondo

08791 Sant Llorenç d'Hortons

(Barcelona)